JN037439

かざる日本

かざる日本

橋本麻里

岩波書店

装幀・本文デザイン＝コバヤシタケシ

まえがき

かざりじゃないのよ日本は。

引き算に余白で祓い清め削ぎ落としデトックスし尽くした、そういうものこそが日本的な美だともてはやされることに、ずっと居心地悪さを覚えていた。「そちら」の日本も確かにあるし、決して嫌いではない。だがそうではない方の、足し算にかけ算で盛って装って注ぎ込んだ過剰な美麗が床上浸水しているような日本も、同じくらい魅力的だ。

だがなぜか、「削ぎ落とす」方が美意識としてより高度に洗練され、「盛る」方はそうでもない、という扱いを受けてきた。なぜなら余計なものを削ぎ落としたところには、ものやことの本質が現れ、かざりはむしろそれを隠し、見失わせる働きだから、というわけだ。「虚飾」という語はその端的な表現だが、本当にそうだろうか。

たとえば、床に掛けた一重切《いちじゅうぎり》の竹花入に白玉椿を一輪挿す。金彩の施された重厚な花器にとりどりの花を溢れんばかりに生ける。あるいは無地の短冊へ筆の赴くままに俳諧を書き付ける。長く継いだ料紙に金銀の砂子《すなご》を薄く濃く撒き、芒《すすき》、萩、葛、菊、藤袴、桔梗など秋草のシルエットを銀泥で描き、その上を揺曳するように和歌を紡いでいく。

デザインでも花生けでも実際にやってみればわかるが、闇雲に削ぎ落としたり引き算するだけなら、さほど難しいことではない。ただしそれがアイディアの枯渇やコンセプトの不在ではなく、これぞ洗練、と見えるようにコントロールするのは、とても難しい。同様に盛って足して、というかざりが、調和と不調和、充実と崩壊、豊饒と腐敗の間でギリギリのバランスを保ちながら成立する、針で突いたような一点を見出すのも、途方もなく難易度が高い。

「かざりじゃない」と言われながらも、目を逸らすことができず、心を惹かれてきた「かざる」こととその秘密を、僅かなりとも垣間見てみたい。そんな願いから、かざりをつくり、人やものや空間を荘厳する現場に乗り込み、日々かざりに奉仕する方々を取材してつくったのが本書だ。

室町将軍たちが、天皇を筆頭とする客を饗応し、自らの威光と富を見せつけるために膨大な唐物《からもの》を「展示」した、社交の場としての会所《かいしょ》。神を慰め、もてなすために、一二カ月を彩る草花を紙で精緻に再現し、神前にずらりと並べる供花神饌《きょうかしんせん》。年降りた南洋の樹に凝《こご》る香気を取り出し、薫らせればたちまち聖なる空間を顕現させる香。花弁に宿る赤色を揉み絞り、精製を繰り返し、濃縮を重ねることで現れる、緑の翳さす極限の紅。グリッドに囲まれた光の中、俗悪どころか抽象そのものであるプログラムの中に「ダイヴ」したかのような感覚をもたらす黄金の茶室。漆の黒の上に貝片を載せ、その干渉色だけをオーロラのように揺らめかせる螺鈿。贈答の品がその人のためだけに、まさにいま用意されたものであることを明示する、まっさらに張りつめた和紙と水引。

日常を律する道理や合理性とは相容れない熱狂や畏怖を喚起し、人を制御不能な力で惹きつける。それゆえに道理と合理性によって律されるべき社会を揺るがし、その枠組みに亀裂を生じさせるものとして、恐れられてもきたかざり。だがいたずらに忌避するのではなく、恐怖に耐えつつその魅力にもう一度目を凝らした時、何が見えるのか。あなた自身の目でぜひ、確かめてほしい。

目次

組紐
はじまりの紐

幅にしてわずか一〇―一五ミリ。女性の和装に帯締が占める面積はごくわずかだが、着物、帯、帯揚と重ねていき、帯締の色柄がぴたりと決まった時の高揚感といったらない。画竜点睛というが、まさに見開いた瞳から、龍の長大な身体に風を巻いて生気が通うように、装う者の指先まで自信を漲《みなぎ》らせる。精緻に組み上げられた紐ひと筋に宿る力は、侮り難い。

天平勝宝四年(七五二)四月九日、龍ではなく、鎮護国家の要として造立された大仏の開眼供養法会に際して、導師を務めたインド人僧菩提僊那《ぼだいせんな》が執る筆には、約二〇〇メートルに及ぶ縹《はなだ》色の縷《る》がつながれた。聖武太上天皇以下法会に参列した人々はその縷を手に、大仏と結縁《けちえん》を果たしたという。衆生と仏とを結ぶ紐はまるで臍《へそ》の緒のようだが、細く長く柔軟で、ものを結び留める糸や紐が、『古事記』や『万葉集』で「玉(魂)の緒」と呼ばれ、生命そのものを意味していたことを考えれば、あながちこの見立ても見当外れではないのかもしれない。

神の宿る磐座《いわくら》をそれと示すために掛けられる注連縄《しめなわ》、天岩戸の前で踊るアメノウズメの「胸乳《むなち》をかきいで裳緒《もひも》を陰《ほと》に押し垂れ」た姿、そして楮《こうぞ》や樹皮の繊維を糸状に割き、束ねて榊にかけた幣《ぬさ》。人と神仏、人と人を結ぶものとして、歴史のはじまりから紐は存在感を示してきた。糸に緒、縄、綱など、さまざまな名称、形態、素材、機能を持つ「ひも」について、詳細に紐解いていこうと思えば、この連載のすべてを費やしたところで足りるものではない。今回はそのわずか一条、組紐の老舗として知られる「有職《ゆうそく》組紐　道明《どうみょう》」の仕事を手がかりに、紐とは何か、その尽きぬ魅力について考えてみたい。

紐をつくりだす技法には、撚《よ》る、編む、織る、絎《く》ける(縫い目が表に出ないように縫う)などがあるが、今回取り上げるのは「組む」紐だ。道明の八代目当主であった山岡一晴《いっせい》さんはその定義を、「繊維状のものを一定単位(一単位は通常数本から数十本の練り糸をまとめたものをいう)に束ね、三単位以上をもって相互に交差させ紐にしたもの」で「条毎の組み合わせ時点における角度が、常に斜めに交差すること」(松本包夫・今永清二郎『日本の美術三〇八号　組紐』至文堂、一九九二年)と記し、組紐・組物学会監修『組紐と組物——歴史・用途・制作方法・原材料』(株式会社テクスト、二〇一一年)には、「三本(束)以上の糸または繊維束をすでに組み上がっている方向とは逆の方向へ斜めに交差して作るもの」と書かれている。

組紐の構造を文字のみで説明するのは至難の業だが、身近でより想像しやすい織物の場合、経糸《たて》緯糸《よこ》のポジションは一定で、それぞれが直角に交差することで固定され、織り上げたものが平面的になることは、たやすく理解できる。そして一本または数本の糸を、編み目(ループ)の連続によって平面、あるいは円筒状の組織にしたものが「編む」紐となる。

いっぽう組紐は、同一平面内だけでなく、上下に複数の層にわたって糸が互いに斜めに交差することで、組織を形成していく。そのため伸縮しやすく、輪切りにして断面を見れば一目瞭然、立体物として構築されていることがわかる。まるで心柱《しんばしら》を軸にトラスを連結した、東京スカイツリーの鉄骨を思わせる、「組む」ことでしか実現できない、いっそ建築的と呼べるような三次元の構造を、組紐は備えているのだ。こうした技法からつくられるものを、織物、編物と同様に、組物と呼ぶ。

構造という視点からみれば、組物はローカルな工芸ではなく、ユニバーサルな技術に変わる。二種類以上の材料を組み合わせて成形することで、単独の素材では持ち得ない新しい性質を発揮する材料を、「複合材料」という。複合材料には構造用と非構造用とがあり、構造用は主に強度が問題となる。こうした構造用複合材料の中で、近年急速に用途を拡大しているのが、組物複合材料だ。

これは組物を強化形態にした複合材料で、プラスチックに炭素繊維などの強い繊維を組み合わせる。組物構造にはさまざまな利点があるが、最大の特徴はすべての繊維が連続して切れ目がないので、非常に丈夫だということだ。その一方、すべての糸が斜めに交差しているため、蝶結びのようにワイヤーなどでは不可能な変形も容易に行える。そして複雑な形状の断面でも自動で組め、低コストで製品を供給できる。また軽くて耐熱、耐圧性に優れ、仮に破断しても繊維が連続しているため、バラバラになってしまうことがない。こうした組物の複合材料は宇宙惑星探査機から自動車部品、ゴルフクラブ、義肢など広範な領域で実用化され、世界中で研究・開発が進められている。

ごく簡単な組紐の痕跡は、縄文土器の回転圧痕にも見出すことができ、古墳時代には刀やその鞘《さや》に付随する形で、断片的ながら組紐の実物が見つかっている。こうした基礎的な技術を下地に、仏教の伝来以降、より進んだ大陸の技術と意匠が列島へと流れ込んだ。その絢爛たる精華は、法隆寺、そして正倉院に、服飾用の帯、武具・馬具の紐、調度の紐、宗教用具の紐や芸能用具の紐として、今日まで伝世している。

続く平安時代から鎌倉時代にかけて、組紐の文化——技術と意匠は爛熟を迎える。遺品として伝存するものは平安時代後期以降に限られるが、神護寺に伝わった一切経《いっさいきょう》を包む経帙《きょうちつ》の紐、嚴島神社に施入された《平家納経》を巻き止める紐、四天王寺に伝わる懸守《かけまもり》の紐、西大寺の釈迦如来立像の頭部に納入された紐、そして御嶽《みたけ》神社に奉納された鎧《よろい》の礼《さね》を威《おど》す紐など、目的と用途に応じた組み技法が案出され、時代が要請する美意識に適った、典雅な色柄が表現された。

室町時代は、公家が力を失い、戦いの形態が変化して甲冑が簡素化したことなどが重なって、組織の高度化や後に残る名品は実現しなかった。その代わり、組紐の利用が公家・武家だけではなく、経済力をつけてきた庶民へも広がっていく。近世に入ると組紐の利用はいっそう拡大し、また用途も多様化する。それまで秘伝だった技法を記録した解説書がつくられ、産地も増えていった。

上野・池之端《いけのはた》の一角に店を構える「有職組紐　道明」が創業したのも江戸時代、承応元年(一六五二)と伝わる。一八世紀半ば頃の当主が道明新兵衛を名乗るようになり、現在代表取締役社長を務める道明葵《き》一郎《いちろう》さんで一〇代目を数える(八代目以降は新兵衛の名を襲名せず、実名を名乗る)。

いま道明が販売している組紐は、女性用の帯締がほとんどだが、江戸時代に用いられていた組紐は、刀の柄《つか》に巻く柄糸、あるいは刀の下げ緒としての需要が大半で、基本的に男性、それも武士の装身具だった。組紐専門の職人は当然いたが、武士の間でも自らが身にまとうもの、それも刀に関わる工芸として、組紐の色柄や構造の研究が行われ、江戸時代中期以降には、経済的に困窮する下級武士が、内職として手がける事例も少なからずあったようだ。

ところが明治維新後、廃刀令で刀関連の需要がなくなったこと、帯締を使うタイプの帯結びが普及したことなどから、道明の取り扱いも帯締が主へと逆転する。では帯締はいつ頃からつくり始めたのだろう。これは江戸時代に起こった帯の変化と関係がある。

そもそも日本人の服飾の実態が、埴輪などの遺物から明らかになり始めるのは、古墳時代以降に限られる。当初は楮のような樹皮繊維、あるいは麻などを用い、やがて中国文化の影響を受けて、絹を組んだ紐や織った帯、革帯などが登場する。五センチくらいまでの幅の狭いものが中心だったが、近世に入って身分や男女に関わりなく小袖が普及し、帯が衣服の表へ出るようになると、帯の装飾的な役割が強まっていった。

そして迎えた江戸時代、ファッションリーダーだった遊女、歌舞伎役者、芸妓たちの装いから帯の幅は広がり、長さを増し、年齢や社会的立場に応じた結び方のバリエーションも増えていった。こうして丈が長く、幅が広く、結び方も複雑になった帯が解けたり、崩れたりするのを防ぐために、帯揚や帯締を用いるようになる。

巷間言われる契機は、文化一四年(一八一七)、亀戸天神の太鼓橋が落成した折、渡り初めに来た深川の芸者衆が結んでいた新しい帯のかたちが、太鼓(あるいは太鼓橋)のように見えたことだという。それから「太鼓結び」は江戸で大流行するのだが、この結び余りを紐で押さえるようにしたのが帯締の始まりとする説。実際、文化・文政時代(一八〇四—一八三〇年)の浮世絵には既に、帯締や帯留を身につけた女性の姿が描かれていることが指摘されている(長崎巌『日本の美術五一四号帯』至文堂、二〇〇九年)。明治、大正以降は、現代に至るまで「お太鼓」と呼ばれる太鼓結びが帯結びの主役の座を譲ることはなく、帯締もまた必須の小物として、必要とされ続けている。

さて、道明の歴史に戻ろう。幕末—明治時代に当主を務めた五代目は岡倉天心らと交流を持ち、厳島神社に残る《平家納経》の紐の復元なども行った。六代目以降、廃仏毀釈の嵐によって被害を蒙った仏教美術の保護や研究、新興の富豪らが蒐集した古美術品の再生のために、正倉院や法隆寺に残る紐の復元を数多く手がけるようになっていく。組紐の歴史をまとめた名著『ひも』(学生社、一九六三年)を残した学究肌の七代目、名だたる歴史的組紐の復元模造を総浚《そうざら》いした八代目、数学の博士号を持ち、新しい構造の考案を得意とした九代目、そして一級建築士として事務所を構えてから、急遽方向転換して道明へ入社し、一〇代目を継いだ現当主の葵一郎さんへと至る。

歴史的組紐の復元を通じて学んだ技術と意匠を元に、現在も店頭に並ぶ帯締の定番柄は約五〇〇種。にもかかわらず、年間五〇種近い新作を発表し続け、その中から定番入りを果たすのは、わずかに三、四種類。他に類のない商品の独自性、そして質の高さが、「いつかは道明」「締めれば違いがわかる」という声望を、現在に至るまで保ち続けている。

道明による法隆寺幡垂飾(復元)

こうした老舗は世の浮沈とは関わりなく、堅い商いを続けてきたのかと思えば、そうではない、と当代は首を振る。そもそも上野のあたりは、江戸時代から繰り返し火災に遭ってきた地域。近いところから数えても、戊辰戦争で焼け、関東大震災で焼け、東京大空襲で焼け、と店の焼失を繰り返してきたため、代々伝わる文書などは一切なく、資料類はすべて戦後に収集してきたものだという。二〇一六年、手狭になった木造二階建ての本店を、葵一郎さんの設計で五階建てコンクリート造に建て替えたのが、道明始まって以来となる、火災を理由としない新築となった。

「幸い、大きな機械を必要とする仕事ではないので、人と技術さえ残っていれば、焼け跡からでも事業は再開できる。それで何とか続けることができてきたのだと思います」(葵一郎さん)

製造量がピークに達したのは、高度経済成長からバブル期にかけてで、現在の五、六倍はつくっていた。進物やコレクション用にと飛ぶように売れ、お客が店の外に長い列をつくった、という。

ところがバブル崩壊で景気の底が抜けた。矢野経済研究所の調査によれば、呉服小売市場全体での出荷額のピークは昭和五六年(一九八一)で、約一兆八〇〇〇億円、二〇一六年には二七八五億円と六分の一まで縮小している。道明でもリーマンショックを経て社員は高齢化し、人数も減った。売り上げが減る以上に人手が足りず、商品が慢性的に不足する事態に。葵一郎さんも自らの建築事務所の仕事を週に四日、二日を道明での糸染めの仕事に充てていた。それでも自身が社長になるとは考えもしていなかったが、いよいよ手が足りないというので、二〇一二年に入社。間もなく九代目を務めていた従兄から、重いバトンを渡された。

社長就任後すぐに新しい社員を募集し、工芸高校や服飾系大学のテキスタイル専攻から採用を進め、六〇歳代に達していた社員の平均年齢は、みるみるうちに四〇歳まで若返った。

「この道五〇年、と聞けばすごそうに思えるのですが、今日染め場にいる、工芸高校出身の二五歳の社員は、草木染めまでマスターし、通常商品用の酸性染料による染めも、非常に的確に行っています。経験は確かに大事ですが、取り組む姿勢やロジックを自分で考えていくことで、仕事の精度は十分上げることができる」(同)

同時に、経験を重ね、集中力のある高齢の社員(元職人)も大切にしている。現在社員の定年は七〇歳だが、希望があれば喜んで再雇用に応じており、二〇二〇年までは九〇歳を超える従業員もいた。この、年齢もバックグラウンドもさまざまな社員たちは、商品企画や営業、教室運営などの職種に分けて配属はされるが、実は全員がひととおりの紐を組む、染める、といった工程をマスターした、ジェネラリスト。言ってみれば全員のポジション交換が可能な、野球チームのようなものだ。一方、抱えの職人はスペシャリストとして、群馬県にある工場を中心に働いている。多様な組み方をマスターしようとすれば時間がかかるが、職人は一人が一種の組みだけを集中して手がける。だから技術の習得に何十年もかけることなく、半年もあればそれなりのものがつくれるようになる。

ことほどさように、道明の内部を知るほど、伝統工芸や職人というもののあり方に対する先入観が、音をたてて崩れていく。そしてそれ以上に、道明の組紐そのものが、目が覚めるほど清新な感覚でデザインされていることに驚かされる。和漢の境をまぎらかす、とはわび茶の祖・珠光《しゅこう》の言葉だが、一見デザイン的な自由度の極めて低そうな組紐の上で、和洋の境が見事に紛れているからだ。たとえば印象派の絵画は、絵の具をパレット上で混色するのではなく、キャンバスに複数の色点を置いていくことで、濁りのない、輝くような風景を描き出した。こうした絵画のあり方そのものをテーマにした組紐では、小さな組目のひとつひとつをドットのように捉え、そこに現れる色を厳密に配置することで、あたかも光の粒子が集まる黄金の輪のような紐を表現している。

あるいはより具体的に、《貴婦人と一角獣》(一五世紀、フランス国立クリュニー中世美術館蔵)の六枚連作となったタペストリーがテーマの組紐もある。むろんモチーフをそのまま写すのではない。基調色である赤と紺、そしてモチーフの背後に舞い散る千花模様(ミル・フルール)を、段染めと柄染め、高麗組《こうらいぐみ》と御岳組《みたけぐみ》という、色と組で抽象的に表現しているのだ。復元を先々代、構造を先代が突き詰めた後を受け継いだ自分の役目は、同じテーマで重箱の隅をつつくことではなく、広げていくこと、と葵一郎さんは言う。

「やはり海外にどう普及させていくかについては、考えざるを得ません。売り上げはまだまだですが、洋装向けのネクタイやアクセサリーなど、新しい商品の開発も進めています。いずれこれらの和装と洋装が両輪となって進んでいくような体制をつくりたい。道明は帯締屋ではなく組紐店ですから、組紐の技術に立脚したものであれば、何でもありだと思っています。また神楽坂に組紐教室の新しい拠点をつくる予定です。展示や体験プログラムなどを通じて、多くの方に組紐文化を知っていただけるように努めつつ、これから組紐を使って何をつくるべきなのか、あらためて考え直したいのです」(同)

海外のラグジュアリーブランドからの視察も少なくないというが、そもそもの原価が高いため、組紐をパーツとして供給するようなビジネスは成立しにくい。むしろ自社で原材料から最終的な製

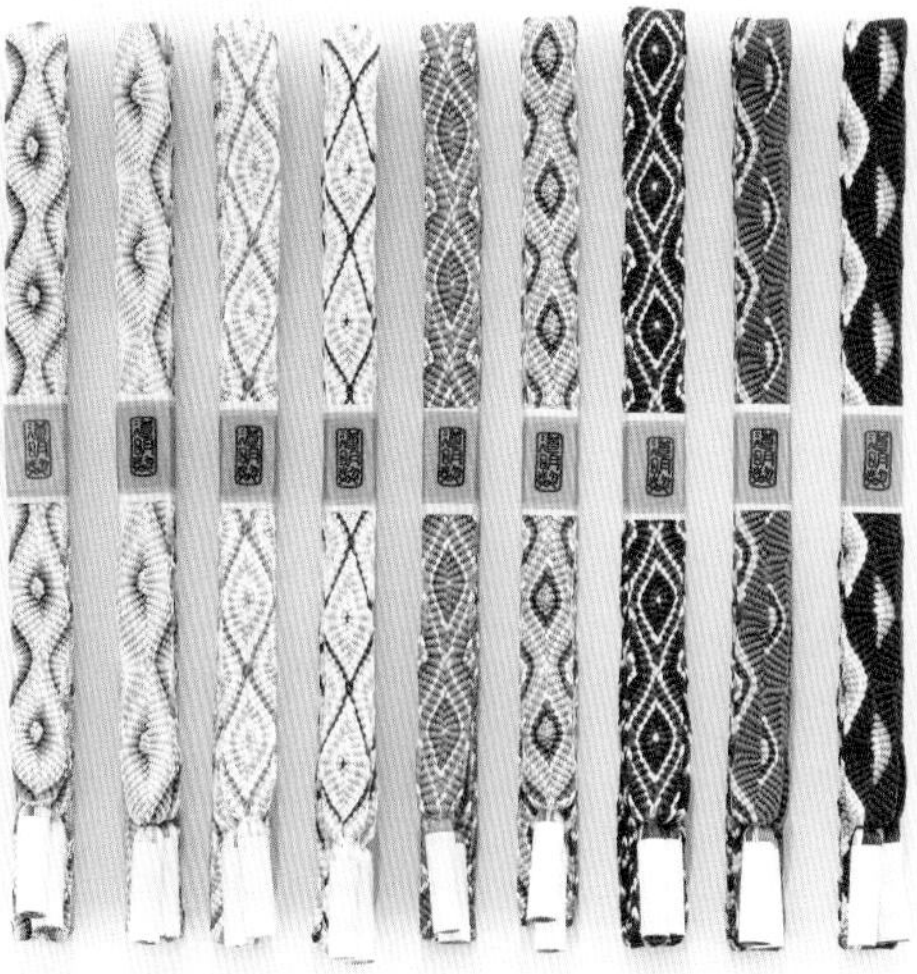

道明製の帯締め．すべて唐組のバリエーション

品まで一貫して手がけ、そのデザインと品質の高さが総合的に評価される「メゾン」として外に出ていくのが、「道明」の理想だという。

私個人は、一条の紐という単純極まりない形状の上に、色と柄だけを表現するという、いわば「不自由な」クリエイションの逆説的な強さに、強烈に惹きつけられる。たとえばそれは、極小のフィールドで最大の創造性を発揮する、俳諧のようなものだと感じられるからだ。なんなら結ぶ「用」に供さなくとも、オブジェとして眺めているだけで満ち足りる。

ヒモとカタカナで書けば、何やら頼りないこと夥《おびただ》しいが、それ自体が主役になることは少なく、何かの付属物としてのみ存在する紐が時に発する、雷光の閃きのような創造性――。

表面的で、非本質的。従属的で、過剰。西洋近代がそのように定義して遠ざけた、装飾／かざりの力と意味を、この連載を通じて、コトとモノの間から見出していきたい。

参考文献

額田巌『ものと人間の文化史6　結び』法政大学出版局、一九七二年。
額田巌『ものと人間の文化史57　ひも』法政大学出版局、一九八六年。
「KAZARI　日本美の情熱」サントリー美術館、二〇〇八年。
山岡一晴『手工芸入門――道明の組紐　丸台・四つ打ち台』主婦の友社、一九七五年。
道明葵一郎『「道明」の組紐』世界文化社、二〇一八年。
『組紐　ジグザグのマジック』LIXIL出版、二〇二〇年。

座敷飾り

かざる方程式

「引き算」「余白」「わびさび」というステレオタイプを通じて語られがちな日本の文化や美意識について、いつの頃からか違和感を抱くようになった。確かに引き算はしているかもしれないが、それだけでなく、足し算もある。ことさら日本美術に詳しくなくとも、二〇〇〇年代に入ってからの伊藤若冲への熱狂を思えば、日本人の中に、極彩色を用いて空間を埋め尽くすような感覚への、深い傾《かたむ》きが存在することは明らかだろう。

そもそも足し算引き算、という比喩は正確なのだろうか。何か本質、本体と呼び得るものが確固として存在していて、そこへ過剰な形態を付け加えることが「足し算」で、取り払うことが「引き算」であるとか？　これも正確ではない気がする。本質が剝き出しになったかのような佇まいの茶室、継ぎ目も見えない真塗《しんぬ》りの棗《なつめ》、澄みきった出汁だけを味わう椀――一見「引き算」風のものであっても、その裏で費やされた膨大な時間や工数の暗示に圧倒される。誇張された純粋さ。機能への陶酔。贅沢な簡素。いっそ「負の装飾」とでも呼びたい、形態や事象の高度な操作は、足し／引きでは追いつかない、高次方程式であるように思える。

ぼんやりと連載の構想をもてあそんでいた当初から、常に頭にあったのが、室町時代の「座敷飾り」だった。私が日本美術を机上(展示ケース内?)のものとしてではなく、リアルな道具や調度として、文字どおり触れる機会を持つようになったのは、茶の湯を通じてのこと。茶室に身を置き、光の移ろいの中で床の掛物を眺め、碗に口をつけて茶を喫する。桃山時代の茶会記に登場するような道具組に恵まれれば、その体験は同時代を生きた茶人、武将たちのそれへと近づいていく。

たとえば現存唯一の千利休設計と伝わる国宝茶室《待庵《たいあん》》に、同じく利休所持、長次郎による赤楽茶碗随一の名品と名高い《無一物《むいちもつ》》(重要文化財、兵庫県立美術館蔵)を置いた時に感じる、ブラックホールのような凝集力は、とうてい「引き算、余白、わびさび」というステレオタイプで語り尽くすことなどできない。できないが、確かにつながってもいる、既知の日本であるように思う。

凝集し、截断する力が強いほど、わび茶以前の美の世界は強烈に異化される。永享九年(一四三七)一〇月、六代将軍足利義教の邸に後花園天皇が行幸した折、義教は二八の部屋に一〇〇〇点以上もの道具をかざりつけて天皇を迎えたと、その記録である『室町殿行幸御餝記《むろまちどのぎょうこうおかざりき》』は語る。凝集し截断するのではなく、自律的な集積と増殖がもたらす歓喜。「引き算、余白、わびさび」というステレオタイプを前提とする世界から見れば異界そのものの、かざりの世界である。

だがその世界観は、「体験」によって実感することが難しい。擬似的な体験ができそうな画像を探しても、岡田譲編『日本の美術一五二号　床の間と床飾り』(至文堂、一九七九年)、『茶道聚錦《ちゃどうしゅうきん》』

全一三巻(小学館、一九八三―一九八七年)などに掲載されたものくらいしか存在しないのだ。

それが二〇一九年、僥倖にも連続して目にする機会に恵まれた。春にマガジンハウス『BRUTUS』八九一号の特集「曜変天目　宇宙でござる!?」に掲載するための画像撮影に自ら立ち会い、夏に九州国立博物館で開催された特別展「室町将軍　戦乱と美の足利十五代」(七月一三日―九月一日)で、座敷飾りの再現展示が行われたからだ。

近年、日本美術の展覧会では、本来作品が設置されていた環境や状況も含めて復元的に紹介する、再現展示の試みを目にすることが増えてきた。障屏画に顕著だが、建物の建具、調度の一部として設計された平面作品が、立体的な空間の中でどのように体験されるのか。開《あ》け閉《た》てすることで変化する画面、対面し、あるいは直角に接する画面同士の関係、射し込む光の効果、内外を緩やかに仕切る建具を外し、あるいは開け放った開口部から望む、屋外の風景・自然との関連性など、発注者や絵師の意図について、平面上の図像だけを睨んでいては理解できない要素がいくらでもある。

寺院に祀られた仏像も同様だ。展覧会場で全周三六〇度から詳細に鑑賞できることはもちろん嬉しいけれど、たとえば重源が東大寺再興の拠点とした寺のひとつ、兵庫県小野市にある浄土寺浄土堂内の快慶《阿弥陀三尊立像》は、その環境と切り離して考えることができない。

なぜなら浄土堂では、初夏から夏にかけての夕暮れ時、堂の西側の開口部から射し込む光が、床面から天井へと乱反射し、中央に安置された阿弥陀三尊像を包み込んで、あたかも堂内が極楽浄土に変じたかと思わせるような光景を現出させるからだ(気象条件等が揃った時に限る)。恐らくは重源の構想による、インスタレーション的な仕組みの中に顕れる阿弥陀如来像の荘厳さにこそ、快慶の追求した「極楽浄土のリアリティ」の真価を垣間見ることができる。

同様に、個別にものを見ているだけではイメージの伝わりにくい室町時代の座敷飾りも、再現展示に向いている。ただし、実現の難易度が尋常ではなく高い。


室町時代、住宅に付属して歌会・闘茶《とうちゃ》・月見などのための会合、寄り合いに用いる「会所」が、臨時の場から恒常的な応接の空間として発達した。客を迎えるには、趣向を凝らしたしつらいが必要になる。客の目を驚かせ、主の趣味の洗練、財力を誇示するために珍重されたのが、「唐物」だ。本来的には文字どおり、中国からもたらされる舶来の文物を意味するが、そう理解されていたものの中にも、中国を経由してさらに遠方から船載された品はあったし、後には南洋やヨーロッパなども含め、異国からの舶来ものの総称として「唐物」の語は用いられた。それぞれの時代ごとに、交易の実態は異なるが、いずれにせよ富と権力の象徴であることに変わりはない。

南北朝の争乱で天皇家の権威が失墜するのと入れ替わるように台頭し、武家政権を打ち立てた足利将軍は、古代日本の天皇や中国の皇帝たちに倣って、自らが新たな権威となるべく、日本や中国の文物の蒐集を行った。日本における文物のコレクションの始まりは正倉院だが、そこには唐時代の中国皇帝のコレクションのありようが強く意識されている。中国における皇帝とは、領土、時間、民族が生み出した文物という三つを掌握する者でなければならない。領土は説明するまでもないが、時間という場合、自らがその末裔として天に認められることを意味する祖先祭祀、暦の制定という二つの側面がある。これらはいわば、天地の秩序の主宰者として掌握すべきものだ。加えて、統治される人々にとってのアイデンティティの拠りどころとなる書画や礼器(儀式のための道具)を網羅したコレクションを持つ、ということに、非常に重要な政治的意味があった。
　平安時代末期、後白河院が膨大な量の絵巻を制作・蒐集していたことはよく知られている。院のつくらせた絵巻の中でもっとも規模の大きいのが、一説には全六〇巻とも言われる《年中行事絵巻》(現存はせず、写本が複数存在)である。これは保元の乱後に復興された内裏の姿や宮中行事のほか、田楽や相撲、祇園御霊会といった民間の行事や祭も取り込み、院が治める世界の、一年という時間的なサイクル、そして社会の上層から下層までを描き尽くしたもの。まさに万物を蒐集しようという、帝王の欲望を体現したかのような絵巻なのだ。

　この後白河院を範とするかのように、足利将軍、中でも三代将軍義満は、日本の絵巻を制作・蒐集させる一方、日明貿易を通じて中国の書画、書籍、工芸作品も膨大に集めて、和漢にまたがる一大コレクションを築き上げた。これが桃山時代以降に「東山御物」(初出は『山上宗二記《やまのうえそうじき》』)と呼び習わされ、長く美の規範として君臨した、足利将軍家のコレクションだ。「東山」、すなわち現在の慈照寺(銀閣寺)がある、八代将軍義政が隠棲した地を冠しているため、「東山御物」は義政が蒐集した唐物と考えられがちだ。しかし実際には義満、義持、義教の時代に集められたものが、その中核を成している。蒐集は将軍の私的な楽しみとしてだけでなく、それが将軍邸への天皇の行幸や幕府の儀式・行事といった公の場で用いられることで、将軍家の権威化、そして室町文化の形成に大きな役割を果たした。

コレクションの価値を裏書きし、さらに高めたのが、同朋衆《どうぼうしゅう》、阿弥衆《あみしゅう》と呼ばれるアートディレクターたちの存在だ。将軍家直属の「学芸員」といってもいい。剃髪、帯刀した半僧半俗の姿で、能や立花《りっか》、造園など特殊な技芸をもって将軍に仕えた。当初は時宗と関わりがあったため、名前に「阿弥」がつく。もっとも有名なのは、能を大成した「世阿弥」だが、絵画や座敷飾りに関わったのは、「能・芸・相」の三阿弥と呼ばれた、能阿弥、芸阿弥、相阿弥という三代にわたる一族だ。

唐物目利きに優れた彼らは、誰が描いたどのような画題の作品なのか、それがどれほどの価値を持つかを鑑定する一方（作品の価値を「金額」で評価する手法が登場するのはこの時代から）、ふさわしい表具を施し、修理を行い、あるいは自ら筆を執って絵も描けば、政治的な「ロビー活動」でもある連歌の会に出席して歌も詠む。彼ら自身が一流の芸術家であり政治家であるという、いわば中国の文人（支配階級の欠くべからざる教養としての詩文書画に通じ、実作を行った士大夫《したいふ》、科挙官僚）のような存在だった。

彼ら同朋衆の目を通して蒐集されたのは、いわゆる宋元画だ。中国美術史上最大の書画コレクターとして、「風流天子」の異名を取った北宋最後の皇帝、徽宗《きそう》（在位一一〇〇―一一二五年）に対する憧憬は、義満から義政にいたる将軍家に連綿と受け継がれ、文物蒐集の方針にも反映された。そのため「皇帝の絵画」、徽宗自身の筆になる画、夏珪《かけい》や梁楷《りょうかい》など宮廷に仕えた画院画家たちによる院体画、仏教絵画では牧谿《もっけい》や玉澗《ぎょくかん》ら禅僧たちによる禅宗絵画、着色仏画などがコレクションの柱となっていった。

こうした方針の下で義満が蒐集させた中国絵画のリスト、能阿弥が撰したという『御物御画目《ごもつおんえもく》

九州国立博物館特別展「室町将軍」における座敷飾りの一例(『図書』2019 年 12 月号より転載)

録《ろく》』(複数バージョンあり)には、本来異なる筆者の絵を三幅対《さんぷくつい》とする記述が見られる。その意図が、厳密な筆者の鑑定や主題に基づく組み合わせではなく、三幅を並べた時の印象を重視しているように見えることから、展示の際の覚えのようなリストではないか、と推測されている。そう、彼らはまさに、展示に関わるキュレーターでもあったのだ。

義満が三八歳で出家した後に造営し、政務の中心となっていた北山第(義満没後に鹿苑寺〔金閣寺〕となった)では、舎利殿(金閣)の隣に、回廊で結ばれた会所が建てられた。ここがコレクションの「展示」施設であり、天皇が将軍の屋敷へ行幸する御成の際には、邸内の各部屋に「特別展示」を行った。義満が亡くなる直前の応永一五年(一四〇八)三月、後小松天皇を北山第に迎えた際の記録『北山殿行幸記』には、以下のように記された。

「西東二所に御座しきをまうけられて、くさくさのたから物数をつくしてたてまつり給、からゑ、花ひん、かうろ、ひやうふなとのかさりはつねのことなり、から国にてたにも、なをありかたき物ともを、ここはとあつめられたれは、めもかかやき、心もことはもをよはすそありける」

義満は東西二カ所に設けた座敷に、「数を尽くして」コレクションをしつらえさせた。唐絵、花瓶、香炉、屏風などは「常のごとく」、中国でも珍重される文物を、この時のためにと集めた様子は、目にも眩しく、心も言葉も陶酔する心地である、と。

それを上回る、室町時代を通じて最高のかざりの空間を現出させたのは、六代将軍義教だろう。永享九年(一四三七)、後花園天皇の行幸を仰いだ折の、空前絶後の殿舎の装飾の次第が、『室町殿行幸御餝記』に伝えられている。「飾り付けされたのは、永享四年に完成した南会所が九室、同五年に完成した泉殿会所が八室、同六年に完成した新造会所が十一室の計二十八室。それぞれの室内は、例えば新造会所の橋立の間を例にとると、牧谿筆の三幅対が壁面に掛けられ、その前に三具足《みつぐそく》(香炉・花瓶・燭台のセット)・脇花瓶一対・象牙製の卓《じょく》・香合が置かれ、さらに別に設けられた床に李迪《りてき》筆『犬図』二幅対が掛けられる。他に象牙製の棚があり、その上段に七宝の花瓶と彫漆の盆、中段に七宝の鶴首(花瓶の一種)と盆、下段に七宝の薬器(合子《ごうす》)と盆が置かれる。書院床(附書院)には硯・筆・筆架《ひっか》・水注・硯屏《けんびょう》・印籠・喚鐘《かんしょう》などの文房具が並べられ、軸盆の上に夏珪筆の画巻が置かれる。さらに西側には違い棚があり、油滴《ゆてき》天目に彫漆の天目台・壺(茶入)・七宝の花瓶・彫漆の食《じき》籠《ろう》が飾られる。天目台・壺・花瓶にはそれぞれ彫漆の盆が添えられる、といった具合で、二十八室すべて合わせると、想像を絶する数量の宝物が飾り付けられていたことが知られる」(志賀太郎「概説　室町将軍家の至宝を探る」『室町将軍家の至宝を探る』徳川美術館、二〇〇八年)

能阿弥以来の所伝を、孫の相阿弥がまとめた伝書と伝わる『君台観左右帳記《くんだいかんそうちょうき》』には、画人伝のほか、唐絵の鑑識やそのかざり方が図入りで詳細に解説される。内容や構成に異同のある写本・類本が一〇〇例以上知られ、書名の異なるものさえ少なくない。そのヴァリアントのひとつとして、尾張徳川家に伝えられた『小河御所并東山殿御餝図《おがわごしょならびにひがしやまどのおかざりき》』は、八代義政が営んだ小川御所と東山第のかざりに関わる図解とされる。そこに描かれた三幅対の唐絵、三具足、青磁《せいじ》管耳花入《くだみみはないれ》、鴨香炉、食籠などのインスタレーションを再現したのが、特別展「室町将軍」での展示だった。『室町殿行幸御餝記』に記された室町第の唐物飾りの詳細を見ればわかるとおり、展示によって示されたのはそのごく一部、という体だが、床に掛けた国宝の梁楷《出山釈迦図《しゅっさんしゃかず》》三幅対を中心に、三具足、青磁管耳花入、螺鈿の食籠、唐物茶入、天目台を添えた建盞《けんさん》などが賑々しく並ぶ。この《出山釈迦図》こそ、二〇ページで「本来異なる筆者の絵を三幅対とする」としたそのものにあたる。中幅と向かって左幅は南宋宮廷で最高の名手とされた梁楷の真筆、右幅はやや後の時代の別人の筆と考えられており、これを足利将軍家で一組として取り合わせ、後代「東山表装」と呼び習わされる、揃いの表具に改めた。

『小河御所并東山殿御餝図』の別の個所には、茶の湯棚のしつらえが図解されている。唐物陶磁器の最高峰である、曜変天目を特集した『BRUTUS』では、この再現撮影を試みた。星のような斑紋を帯びて輝くところから「星建盞《ほしけんさん》」と呼び習わされ、現在では「油滴天目」に分類される茶碗を筆頭に、ずらり六碗。いずれも華やかな彫漆に彩られた天目台にセットされ、同様の意匠の盆の上に並べられる。その中央に置かれたのは、たっぷりと人数分の抹茶が収められる「大海《たいかい》」の茶入れ。傍らには、仏前に浄水を供えるための容器である金属製の水瓶が、水注ぎとして置かれ、長く伸びた注ぎ口に、天目用の茶筅が差し込まれている。わび茶以前の、豊麗な会所の茶は、匂い立つような華やぎと、規矩正しい厳格さとを併せ持っている。

そしてこの時代に、『君台観左右帳記』の世界を再現できるだけの数と質で、天目と天目台を揃いで所蔵しているのは、徳川将軍家の茶道具(柳営御物《りゅうえいごもつ》)を引き継いだ、尾張徳川家の宝物を保管する徳川美術館をおいて他にない。『小河御所并東山殿御餝図』も含め、室町将軍家が確立した座敷飾りと唐物荘厳の文化は、続く近世の徳川将軍に、武家文化の規範として確かに受け継がれたのだ。

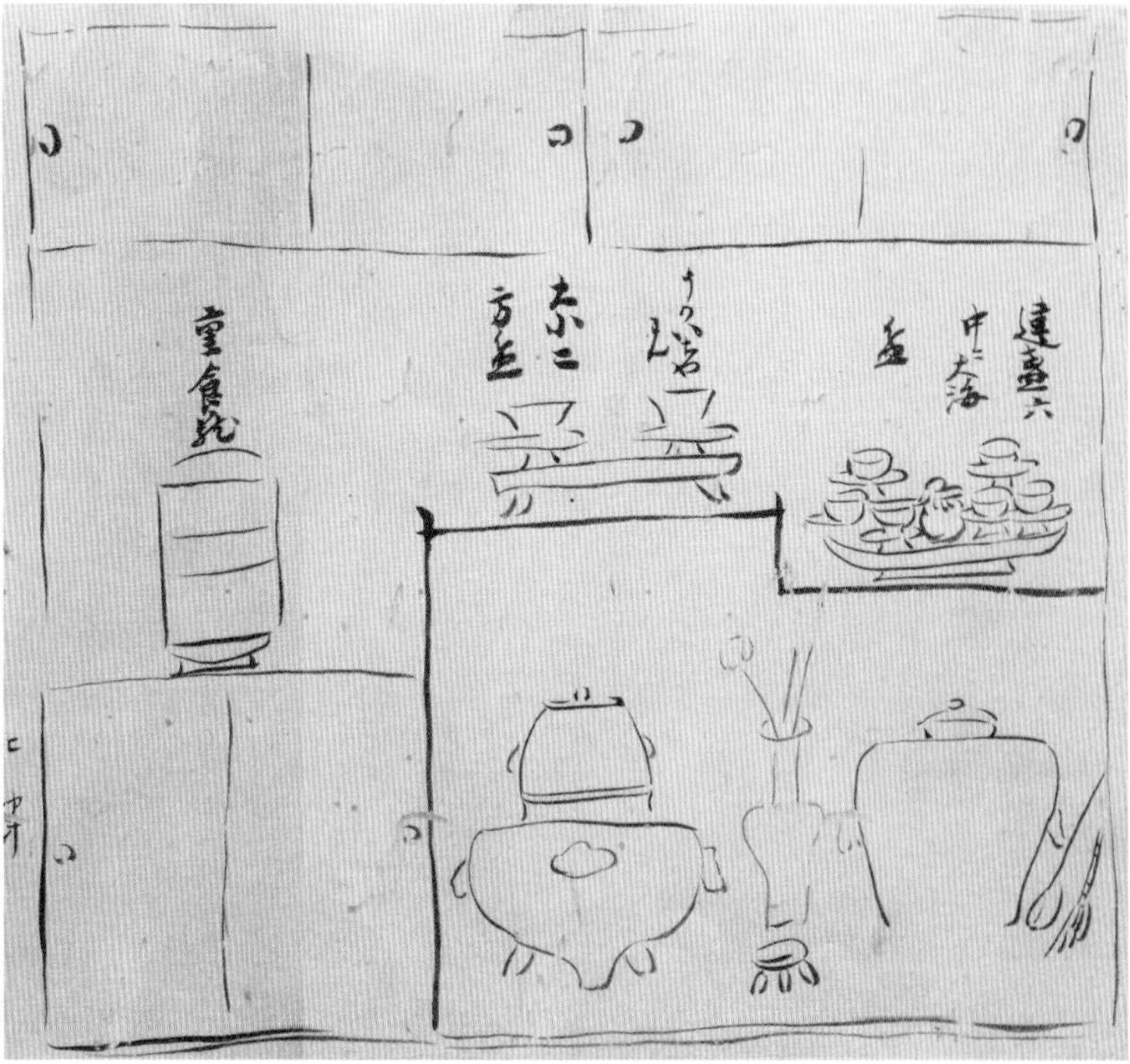

『君台観左右帳記』より

「引き算、余白、わびさび」というステレオタイプの元になったわび茶は、その直前に存在した会所の文化、座敷飾りの世界から切り出され、凝集と截断へ反転することで成立した。むろん両者は対立するものではなく、わび茶はかざりの世界から引き継いだものを確信犯的に内包しており、その葛藤と相剋が、わび茶の造形に生命力を与えているように思える。だからこそステレオタイプとは反対側の極点に、《待庵》の双生児ともいえる、《黄金の茶室》が存在しているのだ。いずれ別の機会に、黄金によって「荘厳」された、わび茶のもうひとつの極まりとしての《黄金の茶室》についても、触れてみたい。

参考文献

玉蟲敏子編『講座日本美術史5　〈かざり〉と〈つくり〉の領分』東京大学出版会、二〇〇五年。

板倉聖哲「日本が見た東アジア美術――書画コレクション史の視点から」『日本美術全集6　東アジアのなかの日本美術』小学館、二〇一五年。

「東山御物の美―足利将軍家の至宝―」三井記念美術館、二〇一四年。

伊藤大輔・加須屋誠『天皇の美術史2　治天のまなざし、王朝美の再構築〈鎌倉・南北朝時代〉』吉川弘文館、二〇一七年。

髙岸輝・黒田智『天皇の美術史3　乱世の王権と美術戦略〈室町・戦国時代〉』吉川弘文館、二〇一七年。

「絵巻マニア列伝」サントリー美術館、二〇一七年。

「室町将軍　戦乱と美の足利十五代」九州国立博物館、二〇一九年。

供花神饌

聖なる奇観

　昨年(二〇一九)一一月、七一回目を数える「正倉院展」の会場は、平成から令和への御代がわりを受けて、例年以上の熱気に包まれていた。今ではすっかり関西の秋の風物詩として、定着した感のある展覧会だが、その始まりは、未だ日本が終戦の混乱から立ち直る前、昭和二一年(一九四六)一〇月に遡る。

　同年二月、戦後最初の特別展観となった「京都御所宝物展」に続く二件目の展覧会で、天皇が「現人神」であった時代には、人々が目にできなかった文化財が並んだ。交通事情、食料事情のよくない中、二二日間で約一五万人という観客が日本全国から集まったのは、長く暗い時代を経て、多くの日本人が美しいものに飢えていたことはあるだろう。物見高い好奇心も否定はできまい。そして何より、敗戦によってシャッフルされ、一部は墨塗りに隠されて瓦解した日本の歴史、自らのアイデンティティにつながる「物証」を確認したいという渇望のゆえではないかと想像している。

二〇一九年は新天皇即位の年ということもあり、奈良国立博物館だけでなく、東京国立博物館での御即位記念特別展「正倉院の世界―皇室がまもり伝えた美―」への出陳も重なり、正倉院の名品をまとめて見られる好機となった。ところが、である。《金銀平文琴《きんぎんひょうもんきん》》《礼服御冠残欠《らいふくおんかんむりざんけつ》》《粉地《ふんじ》彩絵倚几《さいえのいき》》など、目も綾な作品の前に人々が黒山をなして群がる奈良国立博物館の一角に、ほとんどの観客が、視界に入ったものの正体を判じかねる、という曖昧な表情を浮かべたまま通り過ぎる作品が展示されていた。一見したところ「盆栽の干物」のような、と書いたら、さすがにお叱りを受けるだろうか。

彩色の剝げた朽ち木に、折れ曲がった金属製の樹木が申し訳程度に突き立つ不思議な物体で、一〇〇〇年を経ても色鮮やかな、技巧の限りを尽くした工芸品と共に並ぶと、違和感を与えること甚だしい。だが往時には、この「干物」こそ、神聖な場を荘厳する調度であった。一九五二年以来、なんと六七年ぶりの出品となる《仮山残欠《かざんざんけつ》》だ。やはり正倉院宝物のひとつで、天平勝宝四年(七五二)の東大寺大仏開眼会の際に荘厳具、供養具として用いられたと推測される《蓮花残欠》同様、この《仮山残欠》は重要な法会を飾る荘厳具だったのではないかと考えられている。

それにしても奇妙な荘厳具だ。蓮花はともかく、なぜ法会の場を飾るものが「山」なのか。

仏教の世界観に登場する須弥山、道教の世界観に登場する蓬萊山など、いずれも世界の軸となる聖山・理想郷は、日本を含むアジア一帯で、広く共有されてきたイメージだ。法隆寺五重塔初層内陣に安置された塔本四《とうほんし》面具《めんぐ》も、心柱を中心に塑土で山をあらわし、東西南北の四面に塑像群を配して、仏典中の諸場面を精巧に再現している。中国では南北朝時代から唐代にかけて盛んにつくられたが、ほぼ完全な形を残しているのは、日本の法隆寺五重塔だけだという。

美術史家の佐野みどり（学習院大学教授、『國華』主幹）は、両者を比較しながら指摘する。

「小さく精巧につくること、それが目の驚きとなり、情景の神聖さをいやましているのである。その精巧さゆえに、そのリアルさゆえに、その誇張ゆえに、そして不可視世界の可視化ゆえに、ミニチュアは聖性の記号を帯びるのである。正倉院の「蓮池」「仮山」もまた、このような縮小の聖なる世界創出の系譜に連なると考えてよい。だが、正倉院の「蓮池」「仮山」が、法隆寺五重塔内荘厳の須弥山像ともっとも大きく異なる点は、その仮設性である。（中略）精巧なミニチュアの奇巧は、「いま・ここ」と結びつくことで圧倒的な呪力を獲得する。（中略）ゆえに、仏教儀礼の荘厳具から風流造り物へと容易に変容するに違いない」（佐野みどり「風流造り物――王朝のかざり」、辻惟雄編『「かざり」の日本文化』角川書店、一九九八年）

平安時代から中世にかけて、祭りの山車に施された過剰・華麗な装飾、それを警護する人々の奇抜な装束、宴席を飾り立てる洲浜台《すはまだい》など、非日常の場面を、仮設的・一過性の道具立てで「かざる」趣向は、「風流《ふりゅう》」と総称された。そして文学や和歌の心を意匠化した、風情ある造り物のことを「風流造り物」と呼ぶ。その源流として、小さく精緻な奇巧と、特定（ハレ）の時空と結びつく仮設性を備えた《仮山》があったのだ、と。

この風流造り物の感覚を今に引き継ぐもののひとつが、京都の南西、八幡市男山に鎮座する石清《いわし》水《みず》八幡宮で、毎年九月一五日に催される「石清水祭」に献じられる、供花神饌だ。

石清水八幡宮の祭神はホンダワケノミコト(応神天皇)、オキナガタラシヒメノミコト(神功皇后)、ヒメオオカミの三柱。貞観元年(八五九)、大和国大安寺の僧行教が、大菩薩の示現により、宇佐宮から山城国男山の地に八幡神を勧請《かんじょう》したのが始まりとされる。神社と神宮寺である護国寺が一体になった宮寺形式、いわゆる神仏習合の神社として、人々からも「やわたのはちまんさん」と親しまれ、篤く崇敬されてきた。

賀茂祭(賀茂別雷《かもわけいかずち》神社・賀茂御祖《かもみおや》神社)、春日祭(春日大社)と共に三大勅祭に数えられる石清水祭は、そもそも「石清水放生会《ほうじょうえ》」として始まった。これは仏教の不殺生戒に基づき、魚や鳥などを山野池沼に放って供養する仏会で、日本では養老四年(七二〇)、朝廷が大隅・日向で隼人の乱を平定した後、宇佐大神の託宣により、死者を出した償いとして宇佐八幡宮、石清水八幡宮で行われた放生を濫觴《らんしょう》とするという(『扶桑略記』六)。

石清水八幡宮では、天暦二年(九四八)の勅使派遣以来、勅祭としていっそう重く扱われることとなったが、歴史の中で祭儀は中絶、復活と浮沈を繰り返した。放生会は他の寺・神社でも盛んに催されていたが、明治元年(一八六八)の神仏分離令以降、神社では中秋祭や神幸祭など、名を替えて行うようになる。石清水八幡宮でも、仲秋祭、男山祭、石清水祭と名称が変転し、昭和二四年(一九四九)から「石清水祭」として、現在斎行されている形に定まった。

さて、祭の次第へと進もう。旧暦八月一五日(現在の九月一五日)深更、三座の神々は、放生行事のために、山上の本殿から山麓の頓宮殿《とんぐうでん》へ遷座する。その神前に、献饌・供花・奉幣・牽馬《ひきうま》などを献じて奉幣祭を催し、翌日には一般の参拝客へも披露される。神仏分離以前は、朝廷から差し向けられた勅使、そして僧侶が法会を催し、供花神饌を含む供物を捧げたという。夜が明けると放魚・放鳥の放生行事が行われ、その日の夜に、再び神々は山上へと還幸するのである。

戦前までは御所から長持で献じられていたという供花は、生花ではなく造花である。

一九九八年からは、石清水八幡宮より制作を委託された「染司《そめのつかさ》よしおか」当主の染色史家、吉岡幸雄さんが奉納するようになった。

「染司よしおか」は、江戸時代末期から京都に続く染屋で、幸雄さんで五代を数える。桐生高等工業学校(現・群馬大学)染織別科に学び、後に大阪芸術大学で染色材料学を講じるようになった父・常雄さんが、古代染織と天然染料の研究、復元に取り組み、特に貝紫《かいむらさき》の研究で先駆的な業績を残した。一方、ジャーナリストを志向していた幸雄さんは、一九七三年に美術工芸出版「紫紅社《しこうしゃ》」を設立。自ら日本の美術工芸をテーマとする重厚な出版物を数多く手がける一方、京都書院から刊行された『日本の意匠』全一六巻、『日本の染織』全二〇巻の編集長も務めるなど、染めの家で育まれた関心や知識を活かし、出版や広告の領域で成功を収めていた。

しかし一九八八年、常雄さんの死を機に、「染司よしおか」五代目当主を嗣ぎ、常雄さんの代から工房を支えてきた染師・福田伝士《でんじ》さんと共に、植物染めによる日本の伝統色の再現に取り組むようになる。そこからの、薬師寺の伎楽装束四五領、東大寺の伎楽装束四〇領の制作、『源氏物語』五四帖に沿った「襲色目《かさねのいろめ》」の再現——といった精力的な仕事、また国内外での展覧会や講演などを通じて、染色技術・文化の尽きぬ魅力を、広め、浸透させてきた。二〇一九年の九月三〇日、いよいよ円熟味を増し、これから、というところでの吉岡さんの急逝は、いくら惜しんでも足りない、あまりに早すぎる死だった。

そのわずか二カ月前。私は京都・伏見にある工房で、吉岡さんが訥々と語る供花神饌の話に、のんびりと耳を傾けていた。「戦後につくられていた供花神饌の紙や色に納得がいかない」。薬師寺の花会式や東大寺の修二会に、造花を納めてきた吉岡さんの屈託に、当時権宮司を務めていた田中恆《つね》清《きよ》さん(現宮司)が、「だったら、つくってくれはったらよろしいがな」と応じ、吉岡さんも「ほなつくりますわ」と答えて、奉納が始まった。

神や仏の前に供え、あるいはその周囲をかざる。こうした行為につながる、花や植物の持つ霊性への素朴な信仰は、私たちの中に深く根を張っている。髪飾りや神事の折に身につける襷に用いられたヒカゲノカズラ(一二八ページ参照)。イザナギノミコトが黄泉の国から逃走する際、追いすがるイザナミノミコトに投げつけて難を逃れたという桃の実。節分に鬼を祓うため、焼いた鰯と共にかざられる柊の小枝。そして正月に家の門口(場所は土地や家によりさまざま)へ立て、訪れる歳神の依代とされた門松など、植物、中でも花は強い霊的威力を持つと信じられてきた。

疫病が流布すると信じられていた季節は、華麗に咲き誇った春の花の散る頃から始まる。人々は花の散るさまと病の広がるさまとを重ね、花の霊を鎮めることで病の蔓延を防ごう、あるいは花の下に疫神を集め、それを封じ込めようと、さまざまな祭礼を執り行ってきた。もっとも有名なものは、京都市北区にある今宮神社の今宮祭、その境内にある摂社・疫《えき》神社の祭礼であるやすらい祭だ

染司よしおか製作の杜若，椿の台

ろうか。平安時代前期、正暦五年(九九四)に国中に疫病が流行した折、船岡山に疫神を安置して御霊会を営み、その後紫野《むらさきの》に神殿を建立。毎年旧暦五月九日に祭礼を営むようになったと伝える。やすらい祭では花をかざった風流傘(この花傘の下に入ると無病息災でいられるとする)を中心に、踊り手が鉦《かね》と太鼓で囃しながら、氏子地区を回って疫神を集め、疫神社へ届ける。神社では御幣《ごへい》に桜と椿を挿し、赤飯でつくった餅と共に供える。神祇令に規定された律令時代の四時祭《しじさい》として、旧暦三月に大和の大神《おおみわ》神社とその摂社狭井《さい》神社でも、鎮花祭が催されてきた。疫病の流行や地震、噴火などで社会不安が広がった平安時代初期、恨みを残して死んだ御霊の祟りがその原因であると考え、営まれるようになった御霊会もそうした祭礼の代表格だ。八坂神社の祇園祭を筆頭に、上御霊、下御霊の両神社、菅原道真をまつる北野神社(北野天満宮)など、いずれの祭礼も神輿渡御《しんよとぎょ》などの行列や芸能があり、風流と呼ばれる仮装踊が付随することが多かった。

さて、先に書いたとおり、石清水祭には中断と復興の歴史がある。戦後につくられていた供花神饌がどれほど古儀に則しているか、容易には判断できない。一方で、石清水八幡宮には、旧別当家であった田中家・善法寺家、また旧神官諸家に伝えられた、平安時代中期から明治の初頭に至る文書類がある。一括して「石清水八幡宮文書」(重要文化財)と呼ばれるその中に、供花神饌について詳述する江戸時代中期の文書が存在した。残念ながら図解は添っていないが、これを主要な手がかりとして、他の地域や時代の造り花も参照しながら、吉岡流でつくりあげていったのが、現在の供花神饌だという。工房での制作を担ってきたのは、幸雄さんの三女で、「染司よしおか」六代目を継承する吉岡更紗さんだ。

「三座それぞれの神さまに四季の造花をお供えするので、全部で一二台。何かと時間も人手もかかりますから、作業は毎年三月頃から始めます」

一二台の構成を列記してみよう。

雪持竹、山茶花、筍二本、鳳凰一羽
紅白梅、福寿草、鶯二羽
菊、秋海棠《しゅうかいどう》、鶴二羽
南天、寒菊、兎二羽
椿、根笹、鶺鴒《せきれい》二羽
水仙、藪柑子《やぶこうじ》、雉子《きじ》二羽
松、藤、躑躅、鳩二羽、巣籠子二羽
牡丹、石竹、蜻蛉二匹
橘、薔薇、鷹二羽
桜、山吹、蝶二頭
杜若、河骨《こうほね》、鴫《しぎ》二羽
紅葉、小菊、桔梗、鹿二頭

写真を見るとわかりやすいが、季節の花(植物)で構成される上部、動物も配した「下草」と呼ばれる下部とを組み合わせて、白木の台に据えたもので、実物に近い写実的な形状、色合いでつくられている。日本では家紋や着物の図案、和菓子のデザイン等でも、動植物の意匠を抽象的な表現として洗練させた事例が多いので、あまり見慣れない精緻なリアルさに、一瞬戸惑いを感じる。それこそ「染司よしおか」が復元してきた襲色目を考えてみても、表を紫、裏を白とした「移菊《うつろいぎく》の襲」で、晩秋の霜に当たって花弁の先端が変色した白菊を、表を黄、裏を白とした「枯野色の襲」で、冬枯れた野に霜が降り、雪が降り積んでいくさまを表現するなど、基本的には色だけで、季節の移ろい、自然の変化を、見事に写し取っていた。

ところが供花神饌では、メインの花の幹となる部分、たとえば紅白梅なら梅の枝そのものを用い、梅の花は薄く強靱な美濃紙で花弁をつくり、麻糸の蕊《しべ》を雌黄《しおう》(オトギリソウ科の植物から採取する黄色樹脂)で染め、蔦は紙粘土で成形する。松なら、麻の繊維(苧《からむし》)を染めてほぐした針のような葉だし、杜若の葉は、杉のへぎ板を使って、鋭く張りのある雰囲気を再現している。

「五年前から私が中心となってつくるようになりましたが、その前にもいろいろと試行錯誤があったようです。杜若の葉も和紙を貼り合わせて、針金を入れていたこともあるようですが、へぎ板が一番張りが出る。和紙の種類も花によって変えていますし、つくりたい形状に合わせて、素材を探す、というやり方です。和紙にクセづけて、花弁の立体的な丸みを出したり、海綿に染料を含ませたもので和紙をムラに染めたり。日頃、具体的なものをつくることはほとんどないのですが、供花神饌については、写実とは少し違っても「花らしく見える」ポイントを探りながら、今の形に落ち着きました」(更紗さん)

同じく菊，松と藤の台

冒頭に引用した、《仮山残欠》に託された意味についての佐野氏の考察を思い出してほしい。「その精巧さゆえに、そのリアルさゆえに、その誇張ゆえに、そして不可視世界の可視化ゆえに、ミニチュアは聖性の記号を帯びるのである」。そして紙製の供花が鮮麗な美しさを保てる期間は、生の花と変わらぬほど短い。張りを失い、皺がより、汚れが付着し、と、わずかでも経年、経時の痕跡が現れればもう、その聖性はたちどころに消え失せてしまう。祭が終わればほかの神饌と共に撤下され、翌年再び、新しく調製された供花が神前に捧げられる。惜しまれながら散り、再びの開花を指折り数えて待つ花と同じ――繰り返しだ。

生前の幸雄さんに、この連載の構想について聞いていただいた時、「豊饒な色はかざりそのものですよね？」という私の問いかけに、力強く頷いて下さった。かつても今も、自然界から濃く鮮やかな色を集め、布や紙の上に定着させる行為は、気が遠くなるような贅沢だ。そしてその仕事は色という抽象的な表現に留まらぬどころか、限りなく具象的な「縮小の聖なる世界創出」までを含んでいた。色ばかりでなく、植物や動物の形を精巧に写し取り、祭儀の場でひととき神々へ捧げられる神饌は、正しく《仮山残欠》の、そして風流造り物の系譜を受け継いでいるのである。

参考文献

「特別展　いけばな〜歴史を彩る日本の美〜」京都文化博物館、二〇〇九年。
「御即位記念　第七一回正倉院展」奈良国立博物館、二〇一九年。
「特別展　奈良博三昧―至高の仏教美術コレクション―」奈良国立博物館、二〇二一年。

紅

赤の蕩尽

初めてその色を目の当たりにした時の衝撃が、忘れられない。玉虫の翅《はね》を思わせる、緑の中に虹を溶かしこんだような光沢に、筆で水を含ませた瞬間、光は突然ほどけ、鮮やかな紅色が顕れる。それは「物語の出で来はじめのおやなる竹取の翁」と『源氏物語』にも記された『竹取物語』の冒頭、光を放つ竹の中から美しいかぐや姫が登場した、印象的な場面さえ連想させる、なんとも不思議な体験なのだ。

そうして光の中から出現した紅を繰り返し塗り重ねていくうちに、赤く染まった唇の上を、再び玉虫色の微光が覆っていく。喜多川歌麿の美人画をはじめとする浮世絵の中で時折見かける、下唇を緑(ないし青)に染めた美女の正体がこれ。江戸時代、とりわけ化政期(一八〇四―一八三〇年)の一時期、もっとも富裕な女たちの間で流行した、「笹紅《ささべに》」「艶紅《ひかりべに》」の装いである。

肌、頬、瞼、眉、爪、と化粧を施す部位も技法もさまざまだが、詰まるところ、顔の印象をもっとも劇的に変えるのは、口紅だ。「化粧する」ことを別の言い方で表現するなら、現代でも「紅を引く(点《さ》す)」であり、初めて口紅を塗ってみた時、高揚と違和感の入り混じった、いっそ不穏な胸のざわめき——ときめきではない——を覚えた人も、少なくないだろう。

無限に溢れる色の中でも、人間にとって「赤」は、原初のかざりと言える格別の色だ。よく知られたスペインのアルタミラやフランスのラスコー洞窟では、約二万年前、クロマニョン人が赤や黒の顔料を使って、人物や動物の姿を描いている。ところが近年では、「最古級」の年代が更に遡りつつある。たとえばスペインのエル・カスティージョ洞窟に描かれた赤い円や、東南アジアのボルネオ島東部の洞窟で見つかった、夥しい手形や動物の絵など、いずれも四万年以上を遡ることから、現生人類(ホモ・サピエンス)ではなく、ネアンデルタール人の手になると推測される壁画が見つかっている。その赤色は、太古の人類がもっとも容易に入手できた、酸化鉄を多く含む赤土由来のものであった。

生命そのものである血液の色、生命を育む太陽の色、人間を暖め、時に破壊もする炎の色。生命と死、創造と破壊、神聖さと邪悪さ、という両義的な価値を内包し、象徴する赤は、いわば両刃の剣のような色であり、それゆえに長く人間を魅了し続けてきた。そのあまりにも膨大で複雑な「赤の歴史」には深入りせず、今回は江戸時代の女性の唇を彩った、特別な紅についてご紹介しよう。

そもそも青、赤、黄、白、黒という抽象的な名の五色は、上代に中国からもたらされた陰陽五行説に則る正色《せいしょく》で、日本人はこれに、「あお」「あか」「き」「しろ」「くろ」という音を与えた。それの意味するところは色ではなく、明暗顕寞《めいあんけんばく》だとする説もあるが、いまだに解明はされていない。一方で日本人は、染色素材の名やその色をもつ動植物名などを引用して、色名を具体的に説明することにはいっそう熱心だった。カワセミの羽色に喩えた「鴗鳥《そにどり》の青き御衣《みけし》」(『古事記』)、烏扇《ひおうぎ》の漆黒の実に喩えた「ぬばたまの黒髪」(『万葉集』)など、無数の例を拾い上げることができる。

赤色を得る色材も複数あった。顔料では冒頭に挙げた酸化鉄、これをより高純度に加工したベンガラ、水銀硫化物の辰砂《しんしゃ》、鉛酸化物の鉛丹、染料では茜、紅花、カイガラムシ(臙脂《えんじ》)、蘇芳《すおう》などが用いられた。なるほど、一口に赤といっても、茜色、紅色、臙脂色、蘇芳色など、顔料／染料としての性質によって使い分け、その名に冠した色名をもって、赤色を何通りにも区別してきたことがわかる。

さて、その紅花である。原産地は中近東・エジプトとされるキク科の二年草で、シルクロードを渡って中国へ伝来した。中国でもこの紅を利用した化粧の歴史は古いらしく、紅粧《こうしょう》という言葉が、女性が紅で化粧した様子、また美しい女性そのものを表す言葉として、長く使われてきた。たとえば、李白「子夜歌」の一節「紅粧白日鮮」(紅粧　白日鮮やかなり)とは、道端で桑の葉を摘む女性の容姿を賞した部分。紅をさして美しく装った姿が、陽の光に明るく照り映えている、とする。こうした化粧法が海を越えて伝えられるようになると、都に住む貴族の女性たちは競ってそれを採り入れた。『日本書紀』にも持統天皇六年(六九二)、「賜沙門観成、絁十五匹・綿卅屯・布五十端、美其所造鉛粉」とあり、渡来僧の観成が鉛白粉をつくって献上したことを持統天皇が喜び、褒美を与えたと記されている。あるいは正倉院御物の中でもひときわ名高い《鳥毛立女屛風《とりげりゅうじょのびょうぶ》》に描かれる唐風の装いに身を飾った女性たちは、ふっくらと髪を結い、顔には鉛を酢で蒸してつくる白粉を塗り、眉を描き、額に花鈿《かでん》、口元に靨鈿《ようでん》というポイントメイク、頬にはほんのりと赤味をさし、唇は鮮やかな紅色に染めている。

こうした紅の存在は、日本へは抽出方法も含めて三世紀中頃に伝わったと考えられている。古くはスエツムハナ(末摘花)、クレノアイ(呉の藍)とも呼ばれ、染料だけでなく、薬用にも供された。植物染めに使われる色素の多くは、根や実、枝葉など、染まりつく色とは一見無縁そうな場所に潜んでいるため、原材料の段階ではイメージが湧きにくい。ところがほぼ唯一の例外といえるのが紅花で、黄色の奥に赤を滲ませた花弁から、まさにその通りの色が取り出せるのだ。

上古の日本では、中国同様に位階や身分の上下に基づいて使用する色を定めた、律令の「衣服令」に従い、宮廷に仕える人々の冠や衣裳の形状、色が決められた。染めには当然紅花も用いられたが、延喜五年(九〇五)に撰進された『延喜式』には、宮中の御服や調度品の紅染法が詳しく規定されており、栽培は現在もっとも盛んな山形県ではなく、北は常陸、下野から、西は備後、安芸までの六八カ国中二四カ国に、賦課として割り当てられていたことがわかる。

三―四月に種を撒いた紅花は、七月の上旬に花摘みの時期を迎える。多数の棘を持つため、紅花摘みは朝早く、露で棘が柔らかいうちがいい、と言われるが、摘んだ後で次の工程に進むための作業を行うことを考えれば、早朝に摘んでおいた方がいい道理でもある。

紅花には多くの黄色の色素と、ごく僅かな赤色の色素とが含まれている。そこで黄色をできる限り取り去り、赤色の濃度を高めることが、紅花染めの鍵となる。摘んだ花弁はまず異物を取り除き、水洗いをする。黄色の色素は容易に水に溶ける性質なので、ここで手でよく揉みながら、黄色を洗い流す。それから日陰で酸化、発酵させる。発酵が進むにつれて赤味を増していく花弁を臼で搗《つ》いて、煎餅状にまとめ、天日干ししたものを、「紅餅《べにもち》」と呼ぶ。紅餅は保存が効き、乾燥させただけの花弁より、赤い色素が多く抽出できるという利点があるため、江戸時代には産地で紅餅に加工してから出荷するようになった。

その先は京坂で発展した、紅染め専門の「紅屋」の出番となる。ここからは水に溶けない赤色の色素を取り出すための、複雑な工程を書き出してみよう。紅餅を仕入れた紅屋では、紅餅を水に浸けてふやかした後、水気を切って、藁灰などを混ぜたアルカリ水溶液をかける。すると赤い色素が水に溶け出す(紅液)ので、ただちに酸性水溶液(米酢)を加えて中和、麻の束のような繊維を浸し、赤い色素を吸着させる(ここではまだ黄色の色素が少し残っているため、赤も黄も染まってしまう絹を使うことはできない)。赤色が染めついた繊維に再びアルカリ水溶液をかけて、水気を絞り、さらに濃縮された紅液をつくる。再び酸液(梅酢)を加えて攪拌し、しばらく置いておくと、赤色色素が凝集して沈澱する。これを蒸籠に流し入れ、水分が切れたところに残った泥状の紅を、紅箱へ移す。ここまで純度を高めて初めて、玉虫色を発する艶紅が生まれるのだ。十分に黄色色素を取り去ったところで、その紅液を糸染めに用いることもできる。

二〇二〇年現在、この「艶紅」を商品として製造、販売し続けている紅屋は、文政八年(一八二五)に日本橋で紅屋として創業、現在も化粧品の製造販売を手がける株式会社伊勢半本店(本社　東京都千代田区)のみ。同社が運営する「紅ミュージアム」では、化粧用の紅づくりの技術、化粧の歴史・文化に関わるさまざまな資料を公開している。

「紅餅の製法も中国で考案されたものが日本へ入ってきていますし、艶紅は、恐らくあちらでは完成していたでしょう。紅花から採った赤い色素を一定のレベルまで精製すれば光沢を帯びることを、中国の人々は知っていたはずで、艶紅が日本独自のもの、技術とは言えません。ただ、近世の日本人がそうであったように、玉虫色の紅を追求していたかどうかは、わかりません」(同ミュージアム学芸員、立川亜理沙さん)

そして日本での艶紅の誕生は、中国の技術を知った上でそこに向かって努力したわけではなく、近世に紅染めの質を上げていく過程で、ある精製度まで至った結果、「たまたま」知った、見つかったものだろう。同ミュージアムではそう考えている。

「最初にそのレベルまで精製度を上げたのは、紅染屋だと思います。近世の紅染めに関する資料を読んでいると、いったん泥状の紅を抽出し、そののち、染める布帛《ふはく》の素材によって、アルカリや酸をどの程度ブレンドするか、下染めの有無などを調整しています。京坂で豪商などの上層町衆、あるいは公家の御用を務めていた、西陣に集中する古い紅染屋の職人たちがまず技術を確立し、それが化粧へ応用されたと考えるべき。近世にいきなり艶紅が出現したわけではなく、そこへ至るための助走が、近世以前にあったはずなのです」(同)

より品質の高い、純粋な紅を求めていくプロセスで、紅が光を発し始めたことに、誰かが気がついた。だが染屋はそこを追求する必然性がない。布帛への染めで、光を維持することは不可能だか

現在も商品として販売されている伊勢半本店《小町紅 桜》

らだ。そこで、化粧紅に特化した紅屋と紅染屋が分岐していったのではないか——というのが、紅ミュージアム学芸班の見立てだった。

いま、伊勢半本店で紅の製造を手がける職人は二人。少ないように思えるが、需要とのバランスを考えれば適正規模だという。そもそも明治時代に入ると、四川省産など中国紅花の輸入が盛んになり、また赤色の化学染料アニリンが普及したことで、最大産地である山形県の紅花生産は急速に衰退、明治一〇年(一八七七)頃にはほとんど壊滅状態に陥っていた。昭和三年(一九二八)の天皇即位礼の折には、紅花を使った染めを復活させたというが、一時的なものに留まる。そして太平洋戦争がはじまると、食糧増産が優先されたために国内での紅花の栽培が途絶え、「幻の花」になってしまっていたという。

戦後間もなく、山形市内で代々紅花栽培に携わってきた農家の火棚(囲炉裏上の棚)から種が発見され、昭和二五年(一九五〇)には栽培復興を目指す保存会を結成。昭和四〇年(一九六五)に山形県紅花生産組合連合会が組織され、生産が本格的に再開された。

伊勢半本店でも、昭和三〇年代に入ってからようやく、戦前に紅の製造に関わっていた職人たちを呼び戻すことができた。彼らの教えを受けて育った職人は六人ほどおり、現在では四〇代の男性社員二人が作業に携わっている。ただし彼らは「職人」枠の採用ではなく、一般採用で入社してきた中から適性を見て工房へ配属された社員だというから面白い。

取材前には漠然と、艶紅(本紅)の需要を支える伝統文化、芸能の領域があるだろうと考えていたのだが、実際のところは、ない。赤を多用する化粧と言えば、まず歌舞伎が思い浮かぶが、こちらは近代的なメイク用品が使われている。折しも二〇一八年一〇月、資生堂が一九七三年から舞台用化粧品として販売していた化粧下地、練白粉、粉白粉、との粉、紅の生産中止を発表する。とたんに歌舞伎役者をはじめとする舞台人たちから次々悲鳴が上がり、数日で同社が中止を撤回、という一件があった。

常に本紅を必要とするのは、むしろアレルギーなどで現代的な化粧料を使えない人が中心で、後は和装の結婚式や七五三など、着物を着るタイミングに合わせて、という需要がほとんどだという。伝統と言えば皇室だが、学習院大学史料館には、高松宮家に伝わる「御爪箱」が収蔵されている。これは爪を切る道具類を納めた箱で、皇族が七歳まで使用するもの。手の爪、足の爪用に分かれた洋ハサミ二挺、袱紗、爪を切った後に塗る紅とその筆、紅皿などからなる。「紅をつけるいわれは定かではないが、消毒の意味があったものと思われる」(徳仁親王)と、現在の天皇陛下ご自身による解説が記されており、陛下が幼少期に使った御爪箱の写真も引用されている(『Museum Letter No.3』「新収資料　高松宮家展」二〇〇七年三月)。

化粧以外での本紅の用途は、いわゆる「食紅」で、需要のボリュームで言えば、化粧紅を大きく上回る。とはいえ決して安価ではないので、こちらも高級な和菓子が中心だという。

そのすべてを賄うのは、埼玉県川口市の工場内に設けられた、「紅場《べにば》」と昔ながらの名で呼ばれる工房だ。驚くのは、現在も女人禁制を貫いていること。

「紅ミュージアムでの展示資料として動画を撮影する際にも、現場には強い抵抗感があったようです。とはいえ、化学的な変化の過程など、動画で見れば一目瞭然の現象も、静止画と文字による

記録では限界がある。そこはアーカイブの意義についての理解を得て、撮影に協力してもらいました」(同)

江戸時代における紅の生産プロセスを見ても、農家での栽培はもちろん、紅猪口《べにちょこ》に紅を刷く商品化の最終段階でも女性が関わっており、女人禁制は、紅の抽出から紅箱へ移すまでの段階のみ。それは結局、大量の水を運んだり、紅絞り機を動かしたり、といった重労働が、女性には体力的に難しかったからではないか、と推測されている。

かつての木造建築と違い、温湿度が完全にコントロールされた室内での作業であるにもかかわらず、職人たちは猪口に刷いてみるまで、玉虫色の光を発する艶紅になっているかどうかがわからないという。

「紅が乾いて、あの色が出るとホッとする、と聞きます。やはり夏場より、寒い時期の方が色自体よく、色持ちもいい。江戸時代には寒中の丑の日に買う紅を《丑紅《うしべに》》と呼び、特に薬効が高い、と謳っていましたが、故のないことではありません。紅はいわば「生もの」ですから、時期や原料の状態によって、同じようにつくっても、色味や持ちが変わってくるのです」(同ミュージアム広報、阿部恵美子さん)

液状油性原料(オイル)や固型状油性原料(ワックスなど)、ペースト状原料に色材を混ぜた、現代のリップスティックに慣れた身に、水で溶く紅は儚く、頼りないもののように感じられる。味も匂いもなく、水を塗っているも同様で、表面が油脂の膜で覆われる感覚のないことが、ひどく心許ないのだ。にもかかわらず、目の覚めるように鮮やかな赤が、唇を彩っている。白粉を塗る、お歯黒

紅刷きのようす

で歯を染める、という、もはや非日常になってしまった化粧ではなく、紅を引くという、よく知っているはずの行為が、実感とずれている。その体験が、生々しく「江戸の化粧」を実感させてくれるのだ。

鮮やかなのに、儚い。「紅一匁《もんめ》、金一匁」と謳われるほど高価でありながら、その光も色もたやすく薄れ、あるいは褪せて、永続することはない。艶紅の化粧は、時を限った一過性の行為であり、かつ遺し・溜めることをはなから求めぬ、富の蕩尽でもあった。赤という抽象的な色そのものばかりではなく、化粧紅が備える性質にもまた、かざりの本質が潜んでいる。

参考文献

久下司『ものと人間の文化史4　化粧』法政大学出版局、一九七〇年。
竹内淳子『ものと人間の文化史121　紅花』法政大学出版局、二〇〇四年。
田中陵二『色材の博物誌と化学』私家版、二〇一九年。

香木

見ることも書くことも叶わぬかざり

「得も言われぬ」とは便利な言葉だが、ふと鼻先をかすめた印象的な香りについて、それ以上に具体的な描写をしようと思うと、たちまち筆が止まる。挽きたてのコーヒー豆の香り、満開の梅の馥郁たる香り。具体的なものが発している香り、誰もが知る固有の香りであればまだしも、何から発しているのかわからない香りについて、それがどんな香りなのかを、その場にいない人間に説明し、自分が体験したものと同じ香りを想像させることは、不可能に近い。テクノロジーに頼ったところで、同じことだ。近代以降、視覚や聴覚に基づく情報は、マスメディアを通じて大量に、素早く伝達することが可能になった。だが、嗅覚や味覚、触覚に属する情報に関して、遠く離れた他者へ完全な形で伝える技術は未完成だ。いったいどうして、香りはこれほど捉えにくいのか。

感じるのがよい香りであれ、不快な匂い／臭いであれ（以降は「匂い」とする）、それは我々が化学物質を感知する経験に他ならない。周囲を認識するための五感（視覚、聴覚、味覚、嗅覚、触覚）のうち、嗅覚と味覚は化学物質が刺激となって生じるために「化学感覚」と呼ばれ、その種類や濃度によって知覚は変化する。我々人類は主に視覚と聴覚によって周囲の環境の変化を察知しているが、より原始的な水棲の動物にまで遡れば、水中の化学的環境の変化を認識することは、生存に必須の条件となる。そこでまず化学感覚(味覚と嗅覚の区別はない)が生まれ、その後に他の感覚が発達していった。やがて進化の過程で、生存のために化学感覚に頼る度合いは減少していく。

では、人間が匂いを感じる仕組みはどうなっているのだろう。私たちの鼻の中の嗅覚細胞には、匂い分子を感じ、その情報を細胞内に伝える嗅覚受容体がある。ここに、匂い分子が結合したという情報が入ると神経細胞へ送られ、脳の中枢へと届く。問題はそこからだ。

「嗅覚以外の視覚、聴覚、味覚および触覚の情報はまず視床に届き、そこで中継され、その後に大脳皮質の感覚中枢に入り、感覚として認識されます。つまり大脳新皮質で情報処理がされて、感覚が生じます。ところが嗅覚神経は二つのルートで脳に伝わります。

一つのルートは、他の感覚情報と同じように(中略)もう一つのルートは、嗅覚神経が一番距離的に近い大脳辺縁系という領域に、ダイレクトに情報を伝えるルートです。大脳辺縁系は大脳古皮質とも呼ばれる領域で、記憶、学習そして喜怒哀楽などを管理しています。この領域にある海馬は記憶の形成に、扁桃体は情動行動に深く関与しています。さらにその情報はその付近に位置する視床下部さらに下垂体にまで届きます。視床下部は自律神経系や免疫系に、下垂体はホルモン系に関与します。

すなわち、嗅覚情報は大脳でその情報の解析を行う前に、原始的な脳の部分で感知され、私達の意識に関係なく、それに対処する活動がすでに体の中で起こるということです。(中略)嗅覚に基づく反応が本来的に生物にとってとても大事で急を要することが多いため、このような仕組みができたと考えられます」(平山令明『「香り」の科学――匂いの正体からその効能まで』講談社ブルーバックス、二〇一七年)。

匂いが引き金となって記憶が甦る、いわゆる「プルースト効果」はこの仕組みによって起こる現象だ。そして香りの物理的、化学的刺激そのものを表した語彙が少なく、たとえば「甘い」「温かい」「柔らかい」「明るい」「重い」といった、他の感覚器で確立された言葉で代替されているのも、瞬間的な判断と対処が優先されてきたためではないかと考えられている。

この連載では三回目に植物染めを、また四回目に本紅を取り上げた。いずれも色――視覚にかかわる領域だが、実はここでも、「におい」という言葉をよく目にする。試しに『日本国語大辞典』(小学館)を引いてみると、「におい」の語意のひとつにこんな項目がある。

「濃い色からだんだん薄くなっていくこと。ぼかし。

(イ)染色または襲(かさね)の色目にいう。

(ロ)「においおどし(匂威)」に同じ。

(ハ)黛(まゆずみ)で眉を描いてぼかした部分。

(ニ)日本刀の刃と地膚の境に煙のように見える文様。」

たとえば『今鏡』には、「女房の車いろいろにもみぢのにほひいだしなどして」とあり、鳥羽天皇の行幸に具した女房たちが、牛車の簾から紅葉の襲(紅葉をテーマにした襲色目は青紅葉、初紅葉、楓紅葉、櫨《はじ》紅葉、黄櫨《きはじ》紅葉、捩《もじり》紅葉、散紅葉など多岐にわたる)にした女房装束の袖口や褄を打ち出し、その華麗さ、教養の深さやセンスの良さを示す場面がある。茜染の濃淡に、安石榴《ざくろ》や刈安《かりやす》の黄の濃淡を重ねたようなイメージだろうか。色がグラデーションを描くさま、刀剣の刃文の縁に現れる金属結晶の様態など、視覚的な現象を「におい」と呼ぶことに違和感を覚えてもよさそうなものだが、意識的に考えるようになるまで、おかしいとも思ったことがなかった。

さらに「にお・う[にほふ]」の語誌を見ると、こうある。

「(一)『万葉集』では、一首のうちに表意表記(正訓)を用いながら「にほふ」については「爾保布」「爾保敝」等仮名書きにした例が五〇首ほどあり、そのうち嗅覚に関すると認められるものは数例にとどまる。また、「にほふ」と読まれるべき漢字としては、「香」「薫」「艶」「艶色」「染」の五種が七首に見える。そのうち、「香」「薫」は漢字としてはもともと嗅覚に関するが、視覚的な情況に用いられている。

『万葉集』においては、赤系統を主体とする明るく華やかな色彩・光沢が発散し、辺りに映えるという、視覚的概念の用例が圧倒的で、「ニホフ」の「ニ」を「丹《に》」と関連づける考えもあるが、『万葉集』末期(大伴家持)には、よい香が辺りに発散することにも用いられ始める。中古には、視覚と嗅覚の用例が中心で、中世には、音・声などの聴覚的概念に用いられた用例も見え、時代が降るにつれ、「にほふ」の対象及びその属性・意味概念の範囲は広がりを見せる」

まず視覚的に照り映えるように際立った光沢や色彩が「にほふ」ものとして認識され、それが遅れて嗅覚にも当てはめられ、視覚的嗅覚的な際立ちが、グラデーションを成すさまも含めて「匂う」と表現されるようになっていった、というわけだ。そもそも「匂う」からして他の感覚から借りてきた言葉であるのなら、匂い・香りについて表現するのが難しいのも無理はあるまい。

そして視覚から嗅覚へわたる「にほふ」という語について思いを馳せるとき、連想せざるを得ないのは、照り輝くように美しく、才にも恵まれた光源氏、そして光には及ばぬまでも、香りによって他から抜きん出た貴公子であることが示される、霊妙な体香を発する薫《かおる》、常に香を焚きしめている匂宮《におうのみや》という、宿命的な人物たちが登場する『源氏物語』だ。

仏教で仏の身体的な特徴とされる三十二相のひとつは、「身体の毛穴にはすべて一毛を生じ、その毛孔から微妙の香気を出し、毛の色は青瑠璃色」とされ、仏の真理が光として可視化されるのと同じように、もの言わずとも漂う香りによって、その聖性を知らしめる。そして実際に仏前での儀式では、焼香や線香など、香を焚くことによって空間を浄め、荘厳し、経典は浄土を、かぐわしい香の漂う場所として描く。香は確かに仏性に属するものであり、生まれながらにそれをまとう薫もまた、「仮に宿れるかとも見ゆる」(匂宮)、仏の化身に近い存在と考えられてきた。

自らの出生への疑念に基づく厭世的な思いから、深い「道心」を持っているはずの薫は、一方で八宮の姫君たちにも惹かれていく。そのため国文学では、薫の身体から漂う香りをめぐって、高い精神性によるものか、それとも愛欲の象徴なのか、という議論が重ねられてきた。だが「どちらか」ではなく、人の情動を逃れようもなく揺さぶる「にほひ」が、人を仏に近づけ、同時に遠ざけもする両義的なものだと、王朝の貴族たちは気がついていたに違いない。

また『源氏物語』には、花の香りから人工的に調合された香まで、さまざまな匂いが描かれるが、中でもよく知られているのは「梅枝《うめがえ》」の帖。明石姫君入内の準備として、源氏ゆかりの女君たちが薫物を準備し、その調合の妙を競い合う「薫物合《たきものあわせ》」の場面が収録されている。

この時代の薫香《くんこう》は、室町時代以降に成立した香道とは異なり、細片に割った香木を直接焚くのではなく、さまざまな香原料を砕いた粉を混ぜ、蜜や梅肉で練って丸薬状にした、現代で言うところの「煉香《ねりこう》」に当たる。そもそも、奈良時代に唐から来日した鑑真和上が携えてきた薬種は、薬であるのと同時に香原料であるものも多く、煉香やその処方も鑑真が伝えたとされる。平安時代には日本人の好みに従った独自の調合が発達し、秘伝の製法や、その優劣を競う薫物合が活発に催された。ここでは定番として重んじられている香について、最終的には出自やそれに由来する知識も含め、調合する者の人品がいかに香り立つか、というところが評価のポイントとなる。書は人なり、と同じ意味で、香は人なり、というわけだ。

こうした香製品を現在も扱っているのが、京都御所のすぐ西側に店を構える、山田松《やまだまつ》香木店だ。享保年間(一七一六—一七三六年)に薬種業を始め、その後、明和から寛政年間(一七八九—一八〇一年)にかけて、薬種の扱い品目を香りに特化し、香木・芳香性薬種(香原料)を中心とする香木業に移行し、現在に至る老舗で、同時に薬種業(香松屋《こまつや》)も継続している。取り扱う商品は香木、煉香、匂袋、線香、香炉・香立、焼香、香木線香、薬種・香原料と幅広く、重ねた歴史を体現する、貴重

さまざまな香原料(山田松香木店蔵)

な香木も保有する。
また天然の香木・香原料、そして香文化の魅力を伝えるため、完全予約制による煉香の誂えや、聞香《もんこう》（香木の鑑賞）、香りを聞き分けて当てるというゲーム形式の「組香」体験コース、天然香原料を使っての匂袋づくりと薫物（煉香）を自ら調合する調香コースなど、なかなか触れる機会のない香文化を体験する、さまざまな仕組みを用意しているのも特徴のひとつ。植物などから安定した精油（オイル）の形で香りを取り出す、西洋の香りの文化とはまったく異なる、東方に生まれ、日本で独自の発展を遂げた香りの文化を知りたければ、最初に訪れるべき名店だ。

香木、といってすぐに名が挙がるのは、沈香《じんこう》、伽羅《きゃら》、白檀《びゃくだん》あたりだろう。これまで私はすべて異なる樹種だとばかり思っていたが、そうではない。まず沈香は、熱帯アジア周辺に分布する、基原植物であるジンチョウゲ科の Aquilaria 属、Gyrinops 属、Gonystylus 属などの材に芳香性の樹脂が蓄積したものの総称である。樹外に滲み出すのではなく、長い年月をかけて木質内に蓄積し、さらに熟成することで、香りに複雑さや厚みが生まれる。原木自体は軽く水に浮くが、樹脂が沈着した部分は沈むことが、名の由来となった。地域的にはインドシナ半島（ベトナム・カンボジア等）産と、インドネシア産とで香りの系統が異なり、マレー半島産がその中間的な香りとされる。
伽羅もジンチョウゲ科 Aquilaria 属の樹木から採れる。ベトナム周辺で採取され、安南山脈南部に優品が多いが、産地が限定的で産出量も少なく、古来同量の金に等しい価格で取引されてきた。沈香と伽羅は同種の樹木が原木だが、香りの質や種類、産地などで区別する、というわけだ。山田

松香木店の営業部部長、大杉直司さんによれば、

「樹脂が溜まり、熟成するまで、一〇〇年単位で時間を要するのが沈香や伽羅です。香木を産出しない日本では、それこそ鑑真和上の時代から輸入に頼ってきましたが、収蔵された香木を使えば（焚けば）在庫は確実に減少し、しかも新規の供給はないに等しい。古いものはというと、歴史的な名香は既に家元や旧公家・大名家、美術館など、収まるところに収まってしまい、動くことはほぼありません。国際的なオークションにでたという話も聞きません。採取するまでの時間が長いほど質が上がるので、それが短くなっている現在、質は年々下がっています。今売っているものと、二〇年前に売られたものとの間でさえ、明らかな差があるのです」

では新しく採取された香木の中から、再び名香が見出される可能性はあるのかというと、それも難しい。そもそも、すべての沈香基原種は二〇〇五年、絶滅危惧種に指定されている。ワシントン条約では、一九九五年からマラッカジンコウ（Aquilaria malaccensis）を附属書Ⅱ（現在は必ずしも絶滅のおそれはないが、取引を規制しなければ絶滅のおそれのあるもの）に掲載、取引を規制しているが、沈香の識別は非常に難しいため、より包括的な規制が必要と考える研究者は少なくない。

またかつては香木商が質の高い香木を家元に納め、銘をつけてもらう、といった慣習が存在していた。そうすることで、いわばお墨付きをもらった「新しい名香」が世に出る、というサイクルが保たれていたが、近年はそうした動きもあまり見られない。だが、お香に関心を持ち、個人的に楽しむ人は増えつつある。

「二、三〇年前には、お茶、お花と修めた後で、最後に行きつくのがお香とされ、香道に関わる方

も、家元が直々に教えられる程度の人数しかいませんでした。現在ではその門下で師範を務める人材が増え、全体の層が厚くなりつつある。もちろん香道を経由することなく、生活の中でさまざまに香製品を楽しまれる方が増えてきたのは、やはり余裕があるということなのでしょう」(同)

悪いことではもちろんない。だが香木が「焚けば確実に減る」ものであり、皇室や家元といった近世までの香文化「創造」の担い手が不在のまま、香人口の増加を手放しで喜んでいるばかりでもいられまい。そのため山田松香木店では、一九九七年以来、生産国であるベトナムやインドネシアでの、沈香樹の植林事業を続けているという。

おかげで、というべきか、「調香コース」で煉香の調合に使う原料は、『源氏物語』の時代と変わらない。沈香、丁子《ちょうじ》(クローブ。フトモモ科の常緑高木の花蕾。原産地はモルッカ諸島)、薫陸《くんろく》(インド・イラン原産のクンロクコウ類が分泌する樹脂が土中に埋没して生じた半化石状樹脂)、貝甲香《かいこうこう》(ザンジバル産の巻貝の蓋)、甘松《かんしょう》(中国、インドに産するオミナエシ科の草木の根・茎)、白檀(インドおよび南太平洋地域に分布するビャクダン科の常緑高木)、麝香《じゃこう》(中国・シベリア地方に分布するジャコウジカ科の雄ジカの分泌物)、安息香《あんそくこう》(タイ・インドネシアに産するエゴノキ科安息香樹の樹脂)、龍脳《りゅうのう》(インドネシア原産の龍脳樹の材を蒸留して得られる結晶)と、海の彼方からもたらされた稀少な材料がずらりと並ぶ。体験コースではそれを自由に煉り合わせ、丸薬のように丸める。ある程度熟成させてから、というから、昨年調合させていただき、持ち帰った香も、そろそろ「聞き頃」だ。

お話を伺う中でふと兆した疑問は、日本に香を伝えた「本家」たる中国の状況だ。

「清朝時代まではあったと聞いていますが、文化大革命の折に大部分が失われてしまったようで、

さまざまな香木(同店蔵)

どのように調合し、焚いたのかは伝わっていません。煉香を使った聞香ではなく、香木の形のまま、炭の上で焚いてパーッと香りをたてたのだと思います」(同)

灰の中に埋めた炭団《たどん》に炙られ、黒い煉香が温められていくのを待つ。そこでは目に見える何ごとも起こらない。ただ、戒めが解かれるように、ゆったりと香りが広がっていく。その気配を逃さぬよう、まるで耳を澄ますように、香りの細部まで捉えようと全身の注意を傾ける。

「かざり」「装飾」と聞けば、いかにも視覚的なものに感じられるが、立ちのぼる透明な香気は、まさに空気を――いや、空間の位相を変えてしまう。法要の場に浄土を現出させ、日常生活の場を、椅子一つ動かすでもなく、非日常の空間へと転じさせるのだ。その鮮やかさは、視覚的な装飾に慣れた身には、魔術的に感じられる。そして材料は稀少で、使いこなすに難い。香りの荘厳の世界は高く、遠く、それゆえに耐えがたいほど蠱惑的な魅力で、私たちを誘うのである。

参考文献

尾崎左永子『源氏の薫り』朝日選書、一九九二年。

山田憲太郎『ものと人間の文化史27　香料　日本のにおい』法政大学出版局、一九七八年。

三田村雅子・河添房江編『源氏物語をいま読み解く2　薫りの源氏物語』翰林書房、二〇〇八年。

森岡一『生物遺伝資源のゆくえ――知的財産制度からみた生物多様性条約』三和書籍、二〇〇九年。

松原睦『香の文化史――日本における沈香需要の歴史』雄山閣、生活文化史選書、二〇一二年。

伊藤美千穂「木を見て森も見る生薬学」『薬学雑誌』一三〇号、二〇一〇年。

鼈甲

鼈甲は眼で舐めろ

祭の屋台で売られる食べ物を買うことに、親がいい顔をしなかったせいか、べっこう飴を買って食べた記憶がない。それだけに、黄金色の飴は幼心に「特別に美味しそうなもの」として深く刻まれた。後に「べっこう」という言葉の意味するところを知り、長じて鼈甲《べっこう》製の櫛《くし》や簪《かんざし》などを見るとまず、何かしら甘美なものが無意識の暗闇をよぎっていった光跡の残照で、目の前の工芸品を眺めている――ような気がする。実際に舌を近づけたことはもちろんないけれど、私はいつも、鼈甲を眼で舐めているのだ。

鼈甲もまた、海の外から日本へもたらされた素材であり、技術だ。漠然とウミガメの甲羅が素材、と理解されているが、甲を鼈甲細工に使えるのは、海で生きる爬虫類であるウミガメ全七種（アオウミガメ、アカウミガメ、タイマイ、ケンプヒメウミガメ、ヒメウミガメ、ヒラタウミガメ、オサガメ）のうち、タイマイ（玳瑁）のみ。タイマイの甲を原料とする工芸品を、「鼈《すっぽん》」の甲と呼び習わすのは、江戸時代に出された奢侈《しゃし》禁止令の中で、高価な玳瑁の甲を服飾品として用いることが禁止されたため、これを鼈の甲と言い逃れたところから生じた、意図的な誤用、攪乱だ。タイマイは太平洋、インド洋、大西洋の暖かい海域を住処とし、日本では南西諸島の一部に産卵のため上陸することがある程度で、ほぼ姿を見ることはない(南西諸島から千葉県までの太平洋沿岸はアカウミガメ、小笠原諸島や屋久島にはアオウミガメが上陸して産卵する)。

鼈甲細工の始まりがいつ、どこであったのか、しかとはわからない。だが古代エジプトで竪琴(リラ)を演奏するための爪には、骨、象牙、木材の他に鼈甲が使われ、ヘレニズム時代にはインド産の鼈甲が奢侈品として取引されていた(W・W・ターン著、角田有智子・中井義明訳『ヘレニズム文明』思索社、一九八七年)。また後漢時代(二五—二二〇年)後半に朝鮮の楽浪郡(現在の平壌を中心とする西北朝鮮に置かれた中国王朝の地方行政組織)に築かれた古墳(王盱墓)からは、玳瑁製の笄《こうがい》・釵《かざし》・指輪や、文様を玳瑁の薄板ごしに観賞する透絵技法の方箱の断片などが見つかっている(岡崎敬「たいまいを通じてみた古代南海貿易について」『東方学報』一九五四年一一月第二五冊)。そして東晋(三一七—四二〇年)の学者・干宝が民間伝承や逸話をまとめた『捜神記《そうじんき》』には、西晋(二六五—三一六年)末期頃の女性の簪の素材として、金、銀、象牙、角、鼈甲が用いられていたことが記されるなど、点在する記録や遺物を拾い集めていくと、その起源は相当古くまで遡ると想像される。

日本での鼈甲はまず、正倉院に現れる。試みに正倉院宝物の検索システムに「玳瑁」と入力してヒットする作品は一八件。《玳瑁螺鈿八角箱《たいまいらでんはっかくのはこ》》のように、主素材として献物箱の全面に玳瑁を貼り、螺鈿で連珠や鳥・花を表した豪奢な作品はもちろん、木芯に玳瑁を巻き被せ、竹管を象った《玳瑁の竹形如意》《たいまいのたけがたにょい》(僧侶が威儀を正すために捧持《ほうじ》する)、箏《そう》の胴の上に立てて絃を支え、調絃のために用いる「箏柱」《そうのじ》の一部に玳瑁を貼ったものまで、聖俗のさまざまな道具が一覧できる。これら宝物に使われた玳瑁は「多くは中国製と推定できるが、中には檜和琴《ひのきわごん》[南九八]のように確実に日本製のものもある。／わが国では聖徳太子が幼少年時代過ごした上宮の候補地のひとつ奈良県桜井市上之宮遺跡、平城京左京二条三坊十六坪などでタイマイの出土例がある。／(中略)『通典』食貨志《しょっかし》によれば、タイマイは陸州(広西省)や崖州(海南島)など南海に接する地域からの貢納があった」(成瀬正和『日本の美術四三九号　正倉院宝物の素材』至文堂、二〇〇二年)。古代にもガラスや水晶、琥珀《こはく》、角など透明―半透明の素材はいくつかあるが、鼈甲のように柔らかく、加工が容易で、魅力的な模様(斑)まで楽しめるものは、そう多くはない。「香り」をテーマとした前回、平安時代に用いた煉香の原材料が、驚くほど広い範囲から集められたものであったことに触れたが、玳瑁の甲もまた、当時の日本人が「唐天竺」《からてんじく》と一括して認識していた遥か彼方の世界からやってくる、宝玉にも等しい貴重な素材であったに違いない。

そして、ただ素材として美しいというだけでなく、亀はより特別な意味を持つ生き物でもあった。「鶴は千年、亀は万年」とよく言うが、亀には陸生から水陸両生、水生、海洋生まであり、日本には陸に六種、沿岸の海に五種が分布する。陸生であれば、冬に地下に入って春に出現するサイクルを再生と見なして、長寿や生命力と結びつけ、水生・海洋生であれば水と陸とを行き来することから、異郷と人界とを結ぶものと考えた。よく知られる「浦島太郎」の説話は、その一典型だ。あるいは、令和の御代がわりでも話題となった、亀卜《きぼく》に思いを馳せてもいい。大嘗祭に関わる宮中祭祀「斎田点定の儀《さいでんてんていのぎ》」では、亀の甲羅を焼灼して生じるひび割れの形から占う「亀卜」によって、供米を育てる地域を定めたが、そもそもは殷時代の中国で、国家の大事に際して、亀の腹甲や獣の骨を火で炙り、その割れ目(まさに「亀裂」!)の形から神意を判断する占いとして始まった。

海神の使者として竜宮と地上を往復し、富と長寿をもたらす亀。土着の信仰に、亀を「四神」のひとつに数え、未来を予知し大地を支える霊力を持つと考えた中国の神仙思想も習合し、亀は世界の根源的な霊性に関わる生き物として、日本では古くから大切に扱われてきた。その甲も視覚的な美しさだけではない、ただならぬ力を備えたものとして珍重されたに違いない。

そして鼈甲を用いた工芸品の遺例は、どういう理由からなのかはわからないが、中世以降、亀卜の衰退と軌を一にするかのように、急速にその数を減らしていく。一五世紀初めに成立した謡曲『関寺小町』に、「いにしへは、ひと夜泊まりし宿までも、玳瑁を飾り、垣に金花を懸け、戸には水精《すいしょう》を連らねつつ」という詞章もあることから、まったく存在しなかった、というわけでもないらしい。

それが再び息を吹き返すのは、近世初頭。長崎に来港したポルトガル船が材料や製品をもたらしたとされ、一六〇三年、イエズス会士や日本人信徒らによって長崎で刊行された『日葡辞書』には既に、鼈甲や玳瑁の語が収録されている。そして一七世紀末に至ってついに、鼈甲は「かざり」として花ひらく。江戸時代初期には髪型が単純だったこともあり、髪飾りなどはほとんど見られない。「ところが(中略)元禄三年(一六九〇)の『人倫訓蒙図彙《じんりんきんもうずい》』では、「櫛挽《くしびき》」の説明に「櫛は伊須(筆者註イスノキ)、黄揚《つげ》等其他諸の唐木、象牙玳瑁等をもつて造り、蒔絵金具をもつて彩(中略)」。(中略)『我衣《わがころも》』にも「元禄の頃より世上活達になりて、鼈甲もはやあきて蒔絵などかゝせ、鼈甲も上品をえらび、価《あたい》の高下にかゝわるといへども、金二両を極品とす。」と記されるようになる。元禄七年刊『西鶴織留《さいかくおりどめ》』には「すき通りの玳瑁のさし櫛を銀弐枚であつらへ、銀の笄に金紋居させ」と、その贅沢化が窺える」(長崎巌『日本の美術三九六号　女の装身具』至文堂、一九九九年)とする。

事実、この時期以降の櫛・簪、笄は、まさに百花繚乱だ。それまで後ろに長く垂らした「垂髪《すいはつ》」や「下げ髪」が女性の主な髪型だったのが、一六世紀末(天正頃)から結われはじめた「唐輪髷《からわまげ》」を起点として、上方の遊女や歌舞伎役者が「兵庫髷」や「島田髷」「勝山髷」と名付けられた髪型を結いはじめ、宝暦(一七五一―一七六四年)頃になると、鬢《びん》の毛を透かして横に大きく張り出した「燈籠鬢《とうろうびん》」が、京坂から江戸まで大流行した。複雑、華美を極め、自身では結うことができないほどバロック化する髪型が呼び寄せた「かざり」こそ、鼈甲だ。

交易、あるいは外交を目的として日本を訪れた外国人たちにとっても、日本の上流女性たちの髪を飾る鼈甲細工は、注目に値する品だったらしい。長崎・出島のオランダ商館に書記として九年間勤務したフィッセル(一八〇〇―一八四八年)が、日本の風俗から宗教、兵器、動植物まで網羅した『日本風俗備考2』(庄司三男・沼田次郎訳注、平凡社、一九七八年)には、「婦人たちは最大の見栄として鼈甲の笄を持ちたがるようになった(中略)。黒い鼈甲はほとんど価値がないが、日本人は黄色の部分をすべて切り取り、必要な厚さに膠《にかわ》ではり付けるか、または熱を加えて一枚に張り合わせる方法を知っている。そうした上で加工をするが、この鼈甲の髪飾りはまことに純粋な、黄色の琥珀のような外観を呈する。また実際それは日本人の漆黒の髪には非常に魅力的に似合うものである」とある。またアーネスト・サトウの上司で、二代目の駐日イギリス全権公使兼総領事を務めたパークス(一八二八―一八八五年)も、一八六五年から一八八三年まで、一八年間に及ぶ日本滞在の記録を残した。その中でパークスは、紀州徳川侯が催した晩餐の席上、病気の侯夫人に代わって女主人役を務めた近しい親族の女性の容色について、強い関心をもって記している。「これほど美しい容姿の人はいないと思われ、その晩の女主人役を勤めたときの立ち居振舞は、これほど優美なものは想像できないであろう。(中略)彼女の頭飾りはすばらしい見もので、髪は念入りに整えられ、明るい色の鼈甲で作った美しい羊歯《しだ》や花の形をした櫛や簪で飾られていた」(F・V・ディキンズ著、高梨健吉訳『パークス伝――日本駐在の日々』平凡社、一九八四年)。

だが現在、伝統工芸としての鼈甲が置かれている状況はかなり厳しい。「太平洋戦争の時ですら、戦後六年目から輸入は再開されました。ですがワシントン条約の附属書I(絶滅から守るための国際取引が原則禁止されているもの)に指定されたこともあり、日本へのタイマイの輸入は、条約締結国となった八〇年から毎年一〇%ずつカットされ、一九九三年には完全にゼロになりました。息子たちがこの道へ入った、まさにその時です」(磯貝實さん)

「父は一〇年、一五年と経てばタイマイの生息数も戻り、また輸入できるだろうと考えていたのですが、結果的に現在まで輸入は再開されていません。七〇年前後には日本全体で一〇〇〇人ほどいた鼈甲関連の業者も、いまは五〇人ほどまで減っています。東京鼈甲組合連合会であれば名簿上

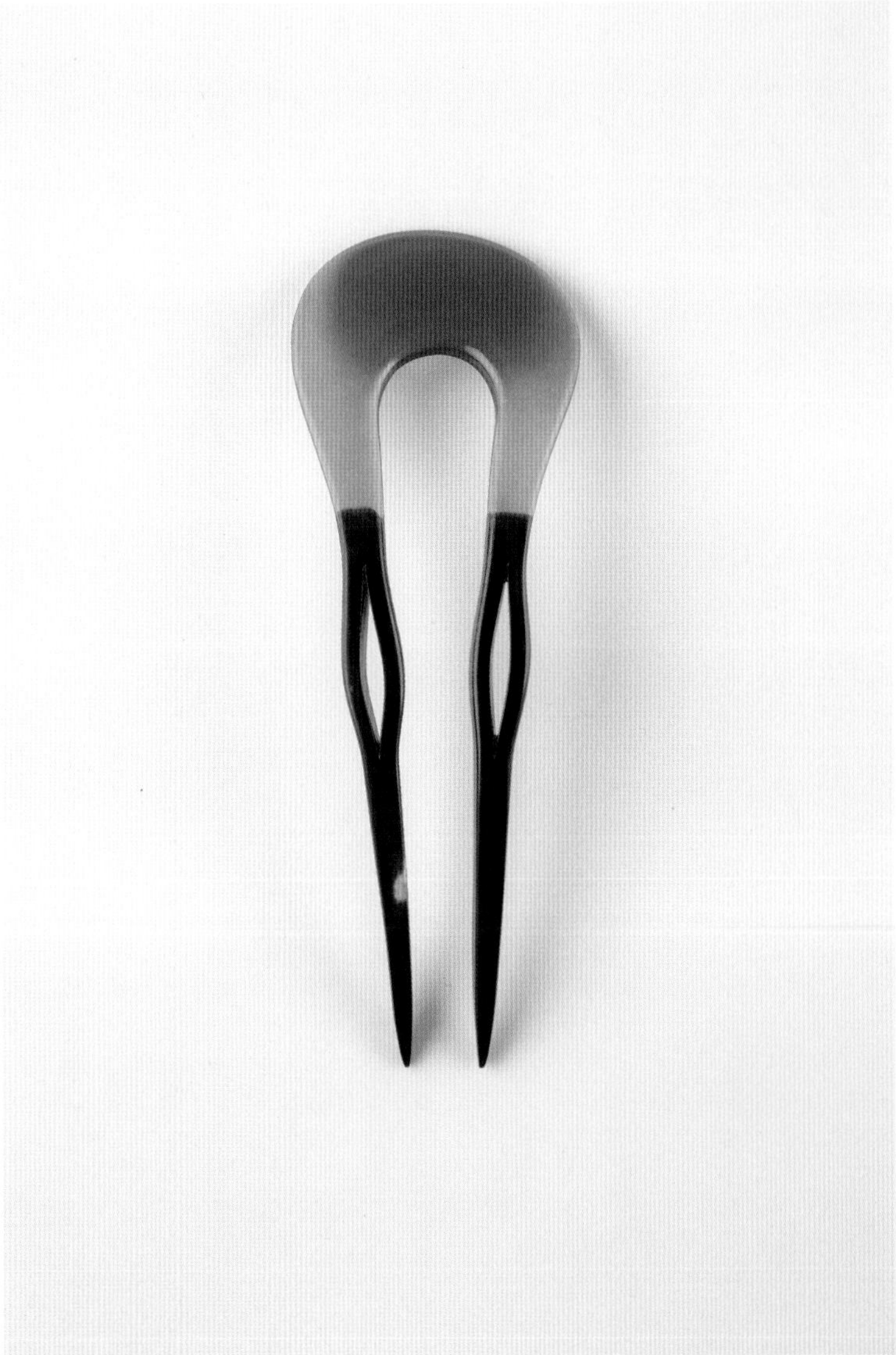

ベッ甲イソガイ製作の鼈甲の簪

の組合員は九名ですが、実際に活動しているのは五名です」(磯貝剛さん)

聞くほどに逆風ぶりが実感される状況下で、江東区無形文化財の指定を受ける父・磯貝實さんを頭に、社の代表を務める剛さん、亀戸店店長の克実さん、浅草店店長の大輔さんと、三兄弟が鼈甲細工の道を選び、それぞれのポジションを支えている「べッ甲イソガイ」は、いささか異例の存在に見える。筆者がこれまで取材してきた少なからぬ伝統工芸の現場で、先行きの暗さから、たとえ子がそう望んだとしても跡を継がせたくない、と言い切る職人は珍しくなかったからだ。

実は一〇年前(二〇一〇)にも實さん、剛さんを取材させていただいたのだが、その間に大きな変化があった。手をこまねいて在庫が尽きるのを待つ、あるいはタイマイの生息数の回復を待つのではなく、養殖を成功させ、ワシントン条約に抵触することなく、国内で原材料の調達を実現する、という試みが軌道に乗りつつあるのだ。

「それまでは国の予算で研究していたのですが、予算が切れて、あとは業界で何とかしろということになりました。そこで組合員が出資して養殖を行うことにし、候補地の小笠原と石垣島のうち、飛行機の直行便がある石垣島で会社を立ち上げたのが三年前(二〇一七)です。甲羅を高く買うことで、会社の運営をギリギリで続けています」(剛さん)

質としてはまだまだ天然ものの方がよく、価格も割高になってしまう。高齢の組合員が抜けていったのは、養殖会社運営の負担を支え切れないことも理由のひとつ。だが、ここにしか鼈甲細工を継続する確実な道はないと、實さん、剛さんは腹を括っている。

とはいえ、工房には輸入停止前からこつこつ買い溜めてきたもの、業者間の取引や廃業する同業者から買い取ったものなど、相当量の原材料のストックがある。仮に養殖が成功せず、タイマイの輸入が再開されなかったとしても、当分は商品をつくれる在庫を確保しているのだ。

そのタイマイの甲羅は背甲、腹甲、爪などの部位に分かれ、背甲のまだら模様の甲羅を「茨布《ばらふ》甲《こう》」、全体に茶色味を帯びたものを「トロ甲」、色が濃く黒っぽいものを「黒甲」と呼び、その中でも色の濃淡によって等級、名称が細かく分かれている。腹甲は「白甲」とも呼ばれ、まさにべっこう飴のような黄色味を帯びた透明の甲羅が採れる。鼈甲の中でも最上級の質とされてきたのがこの白甲だが、一枚一枚が薄く、何枚も重ね合わせないと製品にならないこと、また甲羅全体の面積も小さいことから、高額で取引される。最後に胴体の縁に沿って、タイマイの体を守っている部分が「爪」。くの字の形をした爪は背中側を「爪裏」、腹側を「爪甲」と呼び、面積は小さくとも厚みがあり、特に黄色味の強い「爪甲」は、手間を惜しまず加工をすれば、厚みのある飴色の製品をつくることができる。

他の工芸と異なる鼈甲細工の特徴、そして面白さは、この「甲を何枚も重ね合わせないと製品にならない」ところだろう。まず仕上がりの色柄までイメージを固め、それに合う材料をストックから探し、型打ちをして糸鋸で切り出していく。切り出した甲片と同じような色味、模様を別の甲から探し、さらに二枚、三枚と切り出す。個体ごとに千差万別の模様を持つ甲から、まったく同じ形で切り出すことは当然不可能で、パッチワークのように複数の甲片を重ね合わせ、最終的な見た目と厚みへ落とし込んでいく過程を眺めていると、完成した製品がまるで魔法のように思える。

熱した鉄板と蒸しタオルで挟んで甲羅に熱を入れ、素材を平らに伸ばし、一つ一つの刃が大きい

「ガンギ」と呼ばれる鑢《やすり》、小刀などを使って、細かなキズを取り去る。その後あらためて、接着する面に紙やすりや木賊《とくさ》で、均一なキズをつけていく。矛盾するような作業だが、このキズが入ることで、接合面の喰い付きがよくなるという。そして熱した鉄板で鼈甲を挟んで貼り合わせる、一連の工程の見せ場がやってくる。熱されたタンパク質の匂いが漂う工房で、作業を見せて下さっている剛さんに温度を尋ねると「測ったことがないので……。水が蒸発する加減を見ています。今回使うものの場合、黄色い方は柔らかいので低めの温度でもいけますが、貼り合わせる方には少し足りないので、もうちょっと温めてから接着しよう、という感覚です。厚みも毎回異なるので、潰れ具合を見ながら、どのくらい圧を加えるか加減しています。昔は色白に仕上げろというので、熱も圧もかけすぎないのがいいとされました。師匠(父・實さん)は本当にギリギリのところで形にするので、見ていて怖いです(笑)。私は今のところまだ成功率を優先していて、そこまで踏み込めません。数をこなすうちに見極めがついてくるのでしょうね」。熱で溶け出した膠分によって、接着剤を使うよりしっかりとつき、剥がれることはまずない。形を整え、研磨剤で磨き、鹿革で拭き上げてしまえば、どこに継ぎ目があったか、もはや素人目にはまったく見分けられない。

かつて職人は、つくった製品を専門店や卸に引き渡せばよかった。だが浅草に七軒あった鼈甲専門店はすべて閉店。デパートの催事や実演販売でも売れはするが、自分たち自身で小売りまで手がければ、購入客の要望や行動を直に知ることもできる。最初は工房の前の駐車場から始まった小売りは、亀戸、浅草に二軒の店を持つところまできた。

「以前、珊瑚のついたカメオをリメイクに持ち込まれたお客さまが、すべて鼈甲がいいというの

同じく鼈甲製のチェーン

で、鼈甲で葉を彫ったら非常に喜ばれ、今度はそれに合うピアスをとご注文いただきました。そうやって、お客さまがつくり手を育ててくれる、いい循環がある。いつか、腰を据えて一カ所にいられるようになったら、オーダー専門の店《サロン・ド・鼈甲》をやってみたいんです」(剛さん)

「虎は死して皮を留め、人は死して名を残す」というが、自分が死んだ後まで残る製品をつくれたら、冥利に尽きる、と剛さん。タイマイが残した美しい甲に、一〇〇〇年先まで残る細工を施し、職人としての証を刻みたい。千金を積んで贖《あがな》う奢侈とは異なる、それもまたわずか一〇〇年をすら生きることの難しい人間の、美しい欲望なのだ。

参考文献
越中哲也『玳瑁考――長崎のべっ甲を中心にして』純心女子短期大学付属歴史資料博物館、一九九二年。
東アジア恠異学会編『亀卜――歴史の地層に秘められたうらないの技をほりおこす』臨川書店、二〇〇六年。

帯

神々を招く帯

着物自体が多くの人にとって非日常の晴れ着になって、ずいぶん経つ。多彩な染めや織りを施した絹をまとい、裾をさばき、袖を翻し、複雑に折り畳まれた帯を背に負う装いは、確かに洋服の正装とは次元を異にする、「身をかざる」体験だ。

一方で江戸時代、さらにそこから遡る桃山、室町の装束に思いを馳せれば、かざりは今に倍する贅沢なものが現れる。草花や流水、雲など自然の景物に取材した意匠を、立体的な浮織で織り出した唐織。地の上に金銀の箔を摺《す》り、緻密な刺繡を施した縫箔《ぬいはく》。紅白の段替わりに枝垂れ桜が降りかかり、その下に御所車が停められた爛漫の春。淡い紅色を透かす紗《しゃ》に、黄金の鳳凰が羽を広げてはらむ風。

だが残念なことに現代では、それを身につける場も術もない。唯一、舞台衣裳として能楽師がまとい、舞う姿に接するとき、日本人の身をかざるものとして、貴金属に輝く色石を嵌《は》め込んだずっしりと重い宝飾品にひけを取らぬ、豪奢の極致を見る思いに駆られる。幽玄といわれ、冷え枯れた感覚がもてはやされた中世に起源を持つというのに、それと対照的であることで均衡を取るように、色と光と質感と意匠を幾重にも重ねた絢爛は、まとう者を天女にも鬼にも変え、眺める者を現世から遠く連れ去ってしまう。そうした「かざる力」を未だに留めた帯をつくる帯匠が、京都にある。

「締められない帯」をつくりたい。京都・室町で二八〇年続く帯問屋、誉田屋《こんだや》源兵衛《げんべえ》の一〇代目当主・山口源兵衛さんは、折々にそう語る。「締めるとか売れるは二次的な要素で、叶うなら何ものかが宿るような、その気配が感じられる帯をつくりたい」と。

源兵衛さんは一〇代の終わりに、先代である父が残した莫大な借金と共に、誉田屋を継いだ。どこかでつまずけば、代々の家業は潰え、従業員を路頭に迷わせることになる。それからの数年はひたすら、売れる帯をつくる、売ることしか考えられない日々が続いた。一〇年ほどを経て、何とか完済の見込みが立った頃、売れる帯について考えることにも、つくることにも嫌気がさし、突然「売れない帯をつくったろ」と思い立つ。そして得意先を招いての、恒例の展示会の一角に、「これは売れないだろう、締められないだろう」と意気込んでつくった、それまでの商品とは全く違う、斬新な(つもりの)帯を並べた。「それまでの人生への復讐みたいなもんです。ところが一本を残してすべて売れてしまった。まさか、と思いました。自分はなんて中途半端な人間なんだろうと落胆したし、これでは駄目だと腹も括ったのです」

現代の我々は帯について、身体にまとった衣服を固定するもの、という機能を主に考える。だから「締められない帯」と聞くと、帯らしくない帯、本来のあり方に反した帯、不自然な帯、と評価したくなる。だがその価値観は、人類史的には極めて新しいものだ。

西欧の人々が衣服の起源を考えはじめた当初、精神的向上によって人間に羞恥心が生まれ、裸体を恥ずかしいと感じるようになり、衣服をまとうようになった、というアイディアが広く受け入れられていた。旧約聖書の「創世記」には、アダムとイブが禁を破って知恵の木の実を食べ、その結果羞恥心を発していちじくの葉を綴り、身にまとうようになったとする、人間の楽園追放をめぐる物語が語られる。これがローマ以来、キリスト教世界の倫理とされた。

一方、寒暖や風雨、虫害や外傷から身体を保護するという、実用的な目的のために衣服をまとうようになった、とする説も、ギリシア、ローマ時代から唱えられてきた。

しかし現代においてもっとも説得力ある起源説とされるのが、異性への性的誇示を含む自己顕示欲を伴った、美しく身を飾りたいという人間の心的・文化的欲求から説明する装飾説だ。もちろん考古学の領域でも、これらの起源説にはっきりと白黒をつける証拠を見つけることはできていない。衣服自体が数千年、場合によっては一万年のオーダーで残ることはまず不可能で、染色された植物繊維や衣服に寄生していたシラミなど、間接的な証拠物を手掛かりとして、探索することになる。

他方、フランス南西部ローセルで発見された洞窟の浮彫(旧石器時代後期)や、アルジェリア南東部のタッシリ・ナジェールの洞窟壁画(新石器時代)からは、衣服を身につけぬ裸体の胴に、紐のようなものを締めた人間の像が見つかっている。そして現代も存在する先住民社会に、衣服を持たず腰紐だけ巻く習慣が見られることから、そもそも衣服が主で、それを固定する従の存在としての帯、という関係すら否定され、人類を動物と決定的に分かつ衣服は、身体全体を包むより先に、まずその胴に紐を巻く、締めるところから始まったのではないかと考えられるようになった。

神道の祭祀に用い、神霊をのりうつらせる依代となるのが、多数の紙垂《しで》(古くは木綿や麻布)を束ねた幣帛《へいはく》、御幣、大幣《おおぬさ》だ。また植物の蔓や花、枝葉を頭髪にさしてかざりとしたものが、後に神事や饗宴に際して冠の巾子《こじ》にさす造花のかざりとなった「挿頭《かざし》」も、植物の生命力を身にのりうつらせ、あるいは枝垂れる植物に神の降臨を願う依代となる。そして豊かに枝垂れ、風に揺れて、神を招き寄せる御幣と、蔦や木の皮を胴に巻き、臍の緒のように魂と結び合わせ、先端を長く垂らした原初の衣服としての帯もまた、神を招く依代のように見える。

考えてみれば帯びる(古語では「帯ぶ・佩ぶ」)という語は、最初から身につける、着用するという意を含み、さらに任務などを身に負う、細長くまわりに巻きつける、ある色、味、様子などをその中に含む(『日本国語大辞典』小学館)など、「着る」に匹敵する多様な意味を備えている。「着る」がもともと含んでいた領域が、後代に「かぶる」「かづく」「はく」といった語に細分化されていったのに対して、「帯びる」はなお、具体的なものから抽象的なものまでを包摂する、神聖な曖昧さを保ち続けている。

日本列島に暮らしていた人々がどのような衣服をまとっていたのか、縄文・弥生時代に遡る確実な資料はほとんど存在しない。この時期のものとしては唯一、『魏志倭人伝』に衣服への言及があるが(男性は布を身体に巻きつけ、女性は貫頭衣を着用)、帯を使っていたのか、使っていたとしたら

誉田屋源兵衛製作の袋帯《跳鯉》

どんなものだったのかはわからない。古墳時代に入るとようやく、埴輪から衣服の概略が知られるようになってくる。男性は丈の短い筒袖の上衣、下半身にはズボン状の袴を穿き、腰には刀を佩《は》くための細い帯を締めている。女性も同様の上衣に、足首まで届く裳《も》をつけ、上衣の上に裳をつける場合には、その上から帯を巻き、前、または横に垂らしていたらしい。飛鳥—奈良時代には大陸との交流が本格化し、中国からの影響が増す中で、律令に定められた服制の中に帯も取り込まれていった。糸を幅広に組み上げた、色柄もさまざまな組紐の帯が用いられたほか、金属製のバックルに、時に玉《ぎょく》や瑪瑙《めのう》、犀角《さいかく》などがついた革製の帯が登場している。

平安時代、男性貴族は服制に従って革帯、組紐の帯を使い分けたが、女性の装束は重ね着で、帯が表から見えない形式となり、「腰」と呼ばれた袴の紐を、脇で結ぶだけとなる。衣の色や質感を重ねることに、あれほど執着を見せた時代、帯にはまったく無頓着なところが、いささか不思議な感じもする。

やがて武家の勃興と軌を一にして、袴が簡略化され、女房装束であった大袖《おおそで》の衣から、下着に着用していた小袖へと表着が変化し、武家女性が袴を着用しなくなっていったことから、小袖の前合わせを幅の狭い帯で押さえるなど、帯が衣服の表面に現れてくる。小袖が一般化した室町時代には、細い紐状の帯、または細幅の平絎帯《ひらぐけおび》を、体の前または後ろで結び垂らした。こうして帯が人目に触れる位置へ出てくると、模様を織り出したり、刺繡を施したり、帯の加飾にも力が入れられるようになっていく。帯の幅や長さが実際どの程度だったのか、正確な寸法が記載された資料は少ないが、服飾史を専門とする長崎巌(共立女子大学教授)は、「近世初期においてはおそらく五㎝前後の帯が使用されていたであろうと推測される」(長崎巌『日本の美術五一四号　帯』至文堂、二〇〇九年)としている。桃山時代になると、前代までの素襖《すおう》に替わって、武家男性は公的な場で裃《かみしも》を多用するようになり、やはり小袖が表面に現れ、帯が服飾の重要な要素となっていった。

帯がさらに大きな変化を遂げるのは、江戸時代に入ってからだ。桃山時代の小袖は対丈《ついたけ》(身体と同じ丈に仕立てること。おはしょりがない)で、身幅が広かったため、幅広の帯を締めることはできなかった。しかし江戸時代になると小袖の身幅は徐々に狭く、丈は長くなっていったため、幅広の帯が締めやすくなった。時代に先駆けて幅広の帯を締めるようになったのは、ファッションリーダーでもある遊女たちだ。「寛永年間頃(一六二四〜四四)からすでに一六〜一九㎝ほどの幅の帯を用いていたようで、『嬉遊笑覧』(喜多村信節《のぶよ》〈筠庭〉著。文政十三年〈一八三〇〉刊)によれば、『あづま物語』(寛永十九年〈一六四二〉刊)に記されている遊女の帯は、幅五〜六寸であるという。(中略)『女鏡』(慶安五年〈一六五二〉刊)には(中略)二寸五分(約七・五㎝あるいは九・五㎝)を平均寸法にしている」(同書)とある。寛文年間後半から元禄にかけて、帯の幅も長さも増していく。そのきっかけは、京都の人気歌舞伎役者、上村吉弥《かみむらきちや》が舞台上で締めた、長さ一丈二尺(約三六〇センチ)、幅五―六寸(約一五―一八センチ)、結びの両端に鉛を仕込んで長く垂らし、後に「吉弥結び」と呼ばれて流行した帯結びのせいだという。

帯幅が広くなると、腰を境に上半身と下半身が分断される。そこで小袖の上下に異なるモチーフを配するようになり、享保(一七一六―一七三六年)頃には、帯より下の下半身にのみ模様を配する腰模様や、小袖前面に満遍なく模様を施した、総模様が出現する。江戸時代中―後期にかけて、帯幅は二七センチ前後で定着、帯芯に綿を入れて厚くするようになり、結び方のバリエーションも増えた。階級や職業、年齢などによって形を異にしたが、大正時代以降は、太鼓結びにほぼ集約されていく。

ともあれ帯は、衣服をまとめ、固定し、道具を身に帯びる機能からではなく、何よりまず象徴的な存在として生まれた。であれば、誉田屋の帯も、「締めやすい」「着物と合わせやすい」ばかりを優先しなくていい道理だ。にもかかわらず――というべきか、源兵衛さんには申し訳ないけれど、私自身が締めたい、身にまといたいと強烈に惹かれたのは、銀の古箔を使った帯だった。

たとえば、東京国立博物館が所蔵する酒井抱一の《夏秋草図屛風》を思い出してほしい。風に揺れ、雨に打たれる草花が描かれるのは、何百枚と貼り重ねた正方形の銀箔の上だ。年月を経る間に酸化していった銀はうっすらと黒みを帯び、制作当初の輝きこそ薄れさせたものの、代わりにより深い、まさにいぶし銀の底光りを発している。それは輝かしいものが老い、崩れ、朽ちていく過程でのみ獲得される、凍えるような豪奢さだ。だが、指輪や腕輪のように立体的な装身具として加工された銀と違い、絵画の背景に用いる銀箔は、いくら美しくても身につけることは叶わない。最初から装いの選択肢として考えたこともなかった古箔が、そのまま帯となって現れたことに驚き、歓喜した。

新しい銀箔に即席で古色をつけようとする場合、現在では硫黄を用いるというが、半世紀以上にわたって天日干しを重ね、自然に年を取った古箔は、黒ずみ方が違う。これを本金糸をつくる時と同じ要領で、漆を塗った和紙に貼り、細く裁断してらせん状に芯糸に巻きつけた銀糸を用いて織り

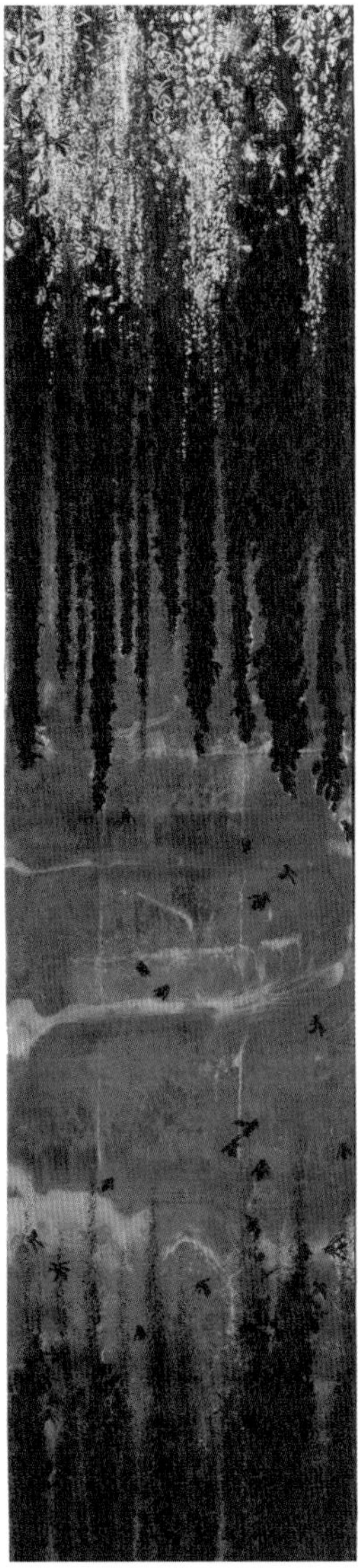

同じく袋帯《世界中の子と友達になれる》

上げたのが、誉田屋の帯だ。古箔を使った帯には、銀箔地そのまま、というものもあれば、銀地の上に模様を織り出したものもある。

中でも、現代美術作家である松井冬子の絵画作品とコラボレートした帯は、誉田屋らしい古箔使いの本領が、この上ない形で発揮されていた。松井がデビュー作《世界中の子と友達になれる》(二〇〇二年)でモチーフにした満開の藤の花房、その花の間に潜む異様な数のスズメバチを、一見そうは見えないほど黒々と焼けた銀を背景に、モノクロームで織り出した帯。原画では紫に彩られた藤を、銀の光とそれを侵蝕する闇とで立体的に、幾重にも重なり合い流れ落ちる花房の滝として表現する。そして目に見えるものばかりでなく、腐り落ちる直前の熟れた果実にも似た甘い香りを嗅がせ、銀のモノクロームの底に揺蕩《たゆた》う紫の影を見せる、幻惑的な帯でもあった。

あるいはボストン美術館が所蔵する、宋時代の《鯉魚図》をモチーフにしたという帯。こちらは真正のモノクロームの水墨画を元に、筆墨による黒の階調を、織りで表現している。墨の濃度やにじみを水と筆でコントロールしてつくり出すグラデーションが、どうして糸の重なりで再現できるのか、いくら目を凝らしてもわからない。古箔の中でももっとも古い、一〇〇年近くを経たものを使ったというが、箔が薄れ、下地の漆が透けている糸が、数百年を経た絵絹《えぎぬ》の質感へと、見事に置き換えられている。激流から飛沫を上げて躍り上がる鯉の体は、登龍門の語源となった龍門を乗り越えれば、龍へと変じ、天に駆け上っても不思議ではない力感を備える。艶めいた黒い眼の光は、漆で点じたものだ。

絹糸だけではない、金箔、銀箔、プラチナ箔、漆、螺鈿(誉田屋の帯には螺鈿を織り込んだものまである）、胡粉《ごふん》、柿渋、古裂まで、他ではほとんど見かけることのない、さまざまな素材を混淆させ、帯の形にまとめあげてしまう。刀剣の外装が、革、染織、金工、漆工など複数の工芸技術を総合して構成されているように、誉田屋の帯も染織だけに留まらない、工芸技術の結晶となっている。

その集大成として、二〇一九年の初めに完成させたのが、《那智瀧図》（国宝、根津美術館蔵、鎌倉時代）を写した帯だ。《那智瀧図》は熊野三所権現のひとつ、滝そのものを神体とする飛瀧《ひろう》権現を表した画で、上方の岩峰には月輪がかかり、轟々と落ちる滝が月明かりを受け、夜闇の中に白く浮かび上がる。帯は古くは「タラシ」とも読み、『古事記』には「名に帯の字を多羅斯（タラシ）と謂ふ」、また『日本書紀』には「みおびのしつはたむすびたれ（御帯の倭文織結び垂れ）」という記述があるとおり、結び垂れるものであった。帯そのものが垂れ、その帯の上を滝が落ちていく。帯は神の依代となる幣帛のようであり、同時に飛瀧権現そのものでもある。

着想自体は四〇年前のことだが、源兵衛さんが「これならいける」と確信できる技術やつくり手が揃うまで、長い時間を要した。誉田屋の帯は、これまで西陣を中心として、確かな技術を持つ職人に、それぞれが得意とする技術を担ってもらう形で仕事を発注、分業で仕上げてきた。だが職人の高齢化が進んでいることもあり、二〇一四年に「その先」を見据えた新しい会社を奄美大島に設立。今では現地で採用した二〇―三〇代の職人が五人、六〇代が二人、合計七人が帯の制作に携わっている。織りの主力は、本格的に手織りを始めてからまだ五年にも満たないという、二〇代の女性。糸に古箔や胡粉でニュアンスを加え、奄美で古くから行われてきた泥染めも駆使しながら、《那智瀧図》の気配を写した帯は、「何ものかが宿るような」という源兵衛さんの願いのとおり、神の依代として完成された。

かざりを眺めるだけでなく、わが身をそれでかざりたい。あるいはかざりの招く霊威を身に——まさに「帯び」たい、いや、いっそ霊威で身をかざりたい。そんな欲望が、人間と動物を分かつ初源の衣服を、そしてそのもっとも象徴的な存在である帯を生み出した。世界の服飾を見渡してみても、和装ほど濫觴の帯の気配を色濃く残す様式は珍しい。誉田屋の帯を締めるたび、人間を人間たらしめたかざりが、未だに力を失わず、現代でも手の届くところで息づいている喜びに、胸が轟くのだ。

参考文献
丸山伸彦『江戸モードの誕生——文様の流行とスター絵師』角川選書、二〇〇八年。
長崎巌『日本の美術五一四号　帯』至文堂、二〇〇九年。
増田美子編『日本衣服史』吉川弘文館、二〇一〇年。

茶室

黄金の仮想現実

豊臣秀吉という人物は他のどんな武将より、その評価に軍記物や浄瑠璃、歌舞伎、講談など、フィクションからの影響を濃く受けているように思われる。庶民に親しまれ、あるいはその人気ゆえに時の権力に利用され、フィクション自体もバリエーションを増やしていった結果だろう。いわく、容貌が猿に似ていた、墨俣《すのまた》に一夜で城を築いた、稀代の悪女淀に翻弄された……。

そんなイメージのひとつとして付与されたのが、自身の富と権力をひけらかすだけの、下品な派手さを好む悪趣味極まりない成り上がり者、というステレオタイプだ。庭園には銘木奇石を集め、瓦に金箔を施したという聚楽第の造営、諸大名やその女房女中衆一三〇〇人を引き連れての醍醐の花見など、確かに蕩尽する富のスケール感は、ただ人《びと》のものではない。その象徴と目されるのが、天正一四年(一五八六)一月一六日、宮中の小御所において、正親町《おおぎまち》天皇に茶を献じた「黄金の茶室」である。

黄金は今や、かざりどころか「虚飾」の代名詞だ。バブル時代(に限らないが)の金満紳士の必須アイテムだった「金のロレックス」は、正確に時を計ることに最大の価値を置くはずの高級時計を、機能面で劣る貴金属によってかざること、それを有り難がることのナンセンスさを端的に表している。では黄金の茶室も、同様の虚飾に彩られた、茶の湯の歴史におけるあだ花なのだろうか。

鎌倉時代から室町時代にかけて、没落していく公家と入れ替わるように台頭してきた新興の武家、守護大名たちは、茶を飲み比べて産地を当て、さらに賞品として高価な香木や刀剣、小袖などを賭けるギャンブルの「闘茶」に熱中した。一方、中国禅林で行われていた茶礼が日本の禅宗寺院へも持ち込まれ、あるいはそれを参照したギャンブル抜きの茶会も催されるようになっていく。ここに中国から舶載された文物(唐物)愛好の高揚も重なって、唐物を効果的にかざるために付書院《つけしょいん》(床脇《とこわき》に接して文房具類を置く低い棚)、押板床《おしいたどこ》(一枚の厚い板を畳の上に固定し、その後ろの壁に絵をかけるようにした設備)、違棚《ちがいだな》(二枚の棚板を、左右段違いに取り付けた棚)からなる床の間が成立。床の間のある座敷そのものが書院と呼ばれるようになり、唐物道具を主体とした、足利将軍家が主導する喫茶の舞台となった。そして床の間を加えた住空間は、建物の内部を壁で仕切り、明障子《あかり》や襖など可動式の建具を用いて独立した小部屋とし、床には畳を敷き詰めた、現代の私たちにも親しい住宅様式——書院造の基礎となっていく。

他方、茶の栽培の普及と共に、庶民の間では純粋に茶の味わいを楽しむ喫茶の習慣が広まり、寺社の門前では一服一銭で茶を飲ませる商売が盛行する。神津朝夫(日本文化史、茶道史)は絵画資料などから、こうした庶民の間の素朴な喫茶から点前《てまえ》の基本が確立し、わび茶の原型が形づくられていったのではないか、と推測している。

ともあれ、中世以来のこうした流れが合流するところに、千利休によるわび茶の大成があった。大永二年(一五二二)、和泉国堺で、豪商とは言い難い商家の長男として生まれた田中与四郎(「千」は屋号と考えられる)は若くして当主となり、名を宗易《そうえき》と改める。商売に成功し、有力商人となった宗易は、一方で茶の湯にも打ち込んだ。彼が表舞台に登場してくるのは、織田信長が足利義昭を奉じて入京、自身の経済的なバックボーンでもあった堺の豪商茶人、津田宗及《そうぎゅう》、今井宗久《そうきゅう》らと共に、宗易を「三宗匠」の一人として召し抱えた、天正二年(一五七四)、五三歳頃からのことだ。

天正一〇年(一五八二)に信長が本能寺で討たれると、三宗匠はそのまま秀吉の茶頭《さどう》となったが、首座に置かれたのは、信長の下で末席にあった宗易である。秀吉は信長以上に茶の湯に傾倒して利休を重用、政治的にも重要な補佐役を務めさせる。秀吉が茶の湯を好んだ理由について、神津は『茶の湯の歴史』(角川選書、二〇〇九年)で、「政治的密談がしやすかったこと、プライベートな狭い空間に客を招き、自ら茶を点ててふるまうことによって親近感をもたせられたこと、室町将軍家や信長の所持した道具を所有し、それを見せることで政治権力の継承者であることを示せたこと」を挙げた。そして「秀吉の存在がなければ、その後の茶の湯の歴史はまったく違ったものとなり、あるいは現在まで続くこともなかったかもしれない。秀吉がいて、その下に宗易がいたことが、その後の茶の湯の歴史を決定的に方向づけたといって過言ではないだろう」と続ける。

現存最古にして究極のわびの茶室、と称される国宝《待庵》からして、本能寺の変の直後、秀吉が取りあえずの本拠地とした山崎(京都府大山崎町)に、宗易に命じてつくらせた茶室だと伝わっており、実際そうであったと考える研究者も少なくない。成立時期が天正一〇年付近であることは、大方の一致するところだろう。そこから自刃までの約一〇年、宗易は楽茶碗に代表される新しい道具を創造し、それ以前から伝わる道具や書画を見極めて茶の道具に採り入れ、わび茶の理想を求めて疾走する。そしてその傍らには、常に秀吉の存在があった。

黄金の茶室の存在が文献に登場するのは天正一三年(一五八五)一二月二一日、小早川隆景と吉川元長が大坂城で秀吉に謁見した折で、吉川家の重臣の吉川盛林は書状に「惣金之御小座敷を御両殿御覧候、我等式も拝見申候、三てう敷(三畳敷)ニて候、床も御座候、驚目たる事ニて候」と記した。昭和六三年(一九八八)、熱海のMOA美術館が黄金の茶室の復元プロジェクトを行った際、考証を担当した稲垣栄三氏(建築史、東京大学名誉教授)は、史料を博捜した結果、黄金の茶室がつくられた経緯を、以下のように推測している(MOA美術館『黄金の茶室・茶道具』一九八八年)。秀吉は天正一二年(一五八四)冬には禁中茶会の構想を持ち、黄金造りの道具も新調していた。天正一三年(一五八五)七月に関白に就任すると、同年一〇月七日、宗易を伴って御所へ参内、正親町天皇、誠仁《さねひと》親王、和仁親王、邦房《くにのぶ》親王、近衛前久、菊亭晴季《きくていはるすえ》らを客に迎えて、禁中茶会を行う。これが、武家のものだった茶の湯が公家の世界へ公式に持ち込まれた、初めての機会となる(宗易はこの後に「利休」の居士号を授かった)。

妙喜庵待庵の床と点前座(竹尺八花入　千利休，真塗手桶水指　盛阿弥作，黒中棗，竹茶杓　千利休　千宗旦筒，黒楽茶碗 銘玄翁　長次郎作)

だがこの茶会で、黄金の茶道具や茶室が使われたとする記述はない。そして年が改まって間もない天正一四年(一五八六)一月一六日、前回から間を空けず、また客の顔ぶれもほとんど同じまま催された二回目の禁中茶会で、黄金の茶室が登場する。稲垣氏は茶室の完成だけが何らかの理由で遅れたため、初回の禁中茶会では黄金の茶道具の使用も見送り、茶室完成後にもう一度同じ顔ぶれ、すべて黄金の道具立てで繰り返す必要があったのではないか、と推論している。

禁中茶会の後で茶室は大坂城内へ戻されたらしく、イエズス会の宣教師、ルイス・フロイスが実見した感想を詳述している。そして翌天正一五年(一五八七)の北野大茶湯に際して広く一般に公開され、天正一九年(一五九一)、「唐入り」のために築いた肥前名護屋城へ持ち込まれた記録を最後に、行方がわからなくなる。

黄金の茶室の遺構は、残念ながら現存しない。だが復元された茶室は現在もMOA美術館内に展示されている。私もこれまで二回取材させていただき、その度ごとに異なる感興を得てきたが、果たして今回も同じことが起こった。

茶室は組立式で、部材を櫃《ひつ》に入れて運び、少人数で手早く屋内に仮設するものとしてつくられた。MOA美術館では専用の展示スペースをつくり、そこにまず天正期の御所の建築を、部分的に再現した。庭(観覧スペース)から階を上がって縁が回り、建物の内外を隔てる蔀戸《しとみど》は上げられ、奥の板の間に、入れ子のように茶室が設置されている。壁や天井、柱、鴨居などの建築部材は、木曾檜の柾材の上から、金箔ではなく厚みのある金の延べ板を貼り、柱や敷居など建築的「線」を表現するところは光沢のある磨き仕上げ、壁や天井など「面」の部分はつや消しの仕上げが施されている。畳には猩々緋《しょうじょうひ》の羅紗《らしゃ》を張って綿を詰め、障子は五七の桐紋を金糸で織り出した、緋色の紋紗を貼った。そして点前座《てまえざ》には、やはりこれも復元された黄金の茶道具が置き合わされている。文字どおり黄金尽くしの平三畳の茶室である。

こうして書き連ねていくと、やはり「富と権力をひけらかす」「悪趣味」と思われそうだ。しかし実際に室内に座ると、まったく異なる感覚が生じる。

金無垢の茶道具も含め、あらゆる素材の表面が金で覆われているため、他の茶室であれば当たり前に存在する木、土、竹、紙などの質感のバリエーションが存在しない。外光を反射する白砂の庭に面して設置されたはずの黄金の茶室も、引き戸を閉めてしまえば光量は一段と絞られる。赤い紋紗を通して射し込む光は室内に満遍なく回り、さらに畳の猩々緋が映り込んで、茶室の内部には緋色をまぶしたような光がぼんやりと満ちる。

まず認識されるのは、自分が「光の中にいる」という感覚だ。光を満たした水槽の中に、とでも言えばいいだろうか。現存する組立式茶室に、西本願寺の《蛍籠《ほたるかご》》があるが、まさに先述のような体験に根ざした銘のつけ方だと頷ける。決して「金の延べ板に囲まれている」ではないのだ。金の物質性は早々に知覚から失われ、光に変換される。

そんな室内で、視覚的に際立って見えてくるのは、建築材料がつくり出すグリッドだ。縦のラインは柱、横のラインは壁板、長押《なげし》や框《かまち》、敷居、そして格天井《ごうてんじょう》と障子の骨が縦横に交差している。ついでに言うなら、曲線が存在するのは茶道具(茶入、天目茶碗、釜や風炉、水指など)のみで、それらを収める台子《だいす》も直線で構成されている。黄金の茶室内部に座るのは恐らく三度目だが、この日私が感じ、考えていたのは、「まるでヴァーチャル・リアリティ（VR）の空間のようだ」ということだった。

その場に同行・同席する人との組み合わせで、場は意味と様相を一変させる。当日は現代的なテクノロジーに親しい同行者がいたため、私が説明に用いる言葉や視点も、そちらへ傾きのあるものだった。だが、普段は使わない比喩や発想は、今まで気づかなかったものへと目を向けるきっかけにもなる。

制作者が選択し用意したデータと、それを動かすシミュレーションのプログラムによって生成された、擬似的な時空間としてのVRは今日、ことさら珍しいものではなくなりつつある。そういう時代に生きる人間の目で、質感はフラット、構造はグリッドで表現された黄金の茶室を眺めていると、みるみるうちに「茶室」という具象性は薄れ、抽象性が増していく。光の中に立ち上がるグリッド。それはどこまでも複雑な具体性そのものである「現実」から、選択的に抽出された「情報」の姿だ。モニターを通して見ていた、人間に認識できる形へ再構成／可視化された像＝「情報」の、ただ中に自分がいる、あるいはコンピュータの内部に意識だけが入り込んでいる、という感覚。いっそサイバーパンク風に「ダイヴ」している、と表現するのが一番しっくりくるかもしれない。

そんな感慨に耽っていると、茶室にご案内下さった内田篤呉館長が、「どうぞ」と茶道具の拝見を勧めて下さる。釜から風炉、水指、茶杓に至るまで一式揃った黄金の茶道具は、一点だけ抜き出

MOA 美術館内に再現された黄金の茶室

して見れば異様かもしれないが、黄金の茶室の中で見れば、何ひとつ突出したところはない。たとえば藁ス《す》サを鋤き込んだ土壁が囲む《待庵》の薄暗がりで、土塊のごとき黒楽茶碗を使うことと、まったく同じ効果をもたらしている、といってもいい。

再現された黄金天目茶碗の表面は金に覆われているが、これは轆轤《ろくろ》で挽いた木胎《もくたい》に、内と外から金の薄板を着せ付けたもの。金無垢造りでは熱伝導がよすぎ、熱湯で茶を点て、手に取ることが難しいからだ。脳は視覚を通じて、硬く焼き締まった磁器の茶碗、あるいは金属器を持った時の感覚を、事前に想定している。だが黄金の天目茶碗を手に取ると、身体に伝わってくるのは、シミュレートとまったく違う重量、質感だ。重量に負けまいと力を込めた腕が、はぐらかされたような軽さに、宙を掻きそうになる。

続いて茶入を載せた四方盆《よほうぼん》が差し出される。こちらは通常なら木に漆を塗ったもの、あるいは乾漆(木、土などの型の上に麻布を漆で何重にも貼り重ねて固める技法)となる。無垢の金を槌で叩いて形を整え、最後に表面を化粧打ちして漆塗りの風合いを写しているが、それでも一見して金属らしい重厚感があるので、イメージと実際の重量差をあまり感じない。

そして最後が茶入。茶入は濃茶《こいちゃ》用の抹茶を容れる陶製の茶器のことで、茶道具の中でも格別に重い扱いを受ける。中国で焼かれた唐物茶入を、象牙の蓋の形まで、無垢の金を素材として写しており、小ぶりながらずっしりと重い。これは「金属だ、重いぞ」という視覚情報に基づいた事前の想定を超える重量で、中腰で受け取るとバランスを崩して前方へ倒れ込みかねないほどだ。

そうやって重すぎるの軽すぎるのと(心中で)大騒ぎしながら道具を手に取っている間は、VR空間に意識だけが漂っている状態から、物理的な身体に拘束された存在へと、チャンネルが切り替わるような感覚があった。あるいは慣れ親しんだ「1G」の重力ではない、より大きな、あるいは小さな重力に支配される、別の惑星へ降り立ったかのような。

これは驚くべき体験だ。インターネットやコンピュータの存在しない桃山時代の人々が、黄金の茶室の中でどんな体験をし、何を考えたのか、実際のところはわからない。だが黄金の茶室には明らかに、儀礼的に茶を喫することを超え、日常からかけ離れた感覚の変容をもたらし、新しいコミュニケーションの場をつくり出そうとする意図、創意が働いている。そこに宗易がどれほど関わっていたのかは、判然としない。だが秀吉が自身の面目を賭けて催した禁中茶会で使う茶室であるからには、当然その意を体しているわけで、署名性は企画者・発注者である秀吉に帰せられる。これは秀吉が創造した、恐るべき空間なのだ。

こうして見てくると、黄金の茶室について、虚飾という評価はまったくそぐわないことがおわかりいただけるだろう。付け加えるなら、冒頭で言及した「金のロレックス」のように、黄金を俗悪な欲望の象徴として見るのは、実はそう古い価値観ではない。

宗教建築や礼拝対象となる偶像への金の装飾の多用は、そもそも世界中で時代の別なく行われてきた。「金による装飾にはその対象の性格を一変させ、抽象化したり異次元化したりする効果がある」(須藤弘敏「日本美術における金」、辻惟雄編『「かざり」の日本文化』角川書店、一九九八年)からだ。日本では、絵画・彫刻・経典を始めとする仏教美術にもっとも顕著だが、これは「黄金」というマテリアルそのものに価値を認めているからではない。「仏教が「金色」を選んだ理由は、あらゆる穢れや汚辱苦痛に満ちた世界を清浄ならしめる圧倒的な力を持った「光」をあらわすため」(同書)だ。須藤は試みに古代中世の日本でもっともよく知られ、普及していた「法華経」と「無量寿経」「観無量寿経」「阿弥陀経」の浄土三部経から「金」に関わる語彙を抽出、「同じく聖性の象徴ではあっても「金」と「金色」は明らかに使い分けられている」と分析している。「黄金の時代」とも言われる桃山時代、安土城や聚楽第、大坂城などの公的空間を埋めた金碧障壁画《きんぺきしょうへきが》に期待された役割も、やはり空間をハレの場として異化する作用であったろうし、現在も慶事の会見の場や結婚披露宴会場で使われている金屏風は、スケールこそ小さいものの、同様の機能を担っていることは明らかだ。

黄金尽くしの茶室もまた、天皇を迎えるハレの空間、聖なる空間として、皆金色をもって荘厳された。そして確かに、この世ならざる場を現出させることに成功しているのだ。

参考文献
神津朝夫『千利休の「わび」とはなにか』角川選書、二〇〇五年。
千宗屋『茶――利休と今をつなぐ』新潮新書、二〇一〇年。

薩摩切子

ガラスの剛毅

　ガラスという素材自体は、現代では特に珍しいものではない。窓に嵌める板ガラス、飲料や食品を保存するボトル、白熱電球や蛍光灯、レンズなどに用いる光学ガラスなど、日常で目にし、使い、時に壊すことはあっても、(特殊な製品を除いて)買い直すのを躊躇する価格でもない。一方、自分が子供だった一九七〇年代の記憶では、飾り棚に鎮座する高級洋酒のボトル、母親の鏡台に置かれた香水瓶などは、同じ素材でありながら「特別なガラス」だった。いずれも日常手にする機会はなく、西洋から輸入された、出自からして特別な非日常のもの、という印象が強い。長じてから目にするようになった、光が雫のようになだれ落ちるシャンデリアや、力を入れればそのまま割れてしまいそうに繊細なワイングラスなど、「非日常のガラス」はいずれも、日本の外の文化に属するものだった。

　長い間、私の中で「美しいけれど脆く儚い」、そして「外の文化に属するもの」であったガラスのイメージを一変させたのは、むしろダイヤモンドのような強さ、鋭さ、存在感で見る者を圧倒するガラス――江戸時代の末、薩摩藩がその威信をかけて西洋の技術を学び、完成させた薩摩切子だ。

ずっしりとぶ厚い、しかし透明度の高いガラスと、その上に被せられた、濃い赤、あるいは藍、紫などの色ガラス。表面には縦、横、斜めの直線を取り混ぜながら、鋭いエッジで文様を切り出している。そのひとつ、海外では「ストロベリー・ダイヤモンド」と呼ばれる文様も、「矢来に魚子《ななこ》文《もん》」と呼び変えてしまえば、そこにアレンジを加えたり、別の文様を試してみたりと、途端にローカライズの余地が生まれてくる。一方で、規矩の正しい文様の繰り返しが表面を覆うことで、鉱物の結晶のようにも見えてはこないだろうか。一八世紀後半、オランダ船を介してヨーロッパから輸入されたカットガラスを、ぎやまん――ポルトガル語でダイヤモンドを意味する"diamante"の転訛した語――と呼んだのも、むべなるかなと頷ける。

さらに目を凝らすと、透明ガラスの上へ、色ガラスから濃い赤や藍、紫などの鮮やかな色が溶け出したような、グラデーションができていることにも気づくかもしれない。透き通った固体の上で溶け、滲んでいく色。相反する性質の美がひとつの物体の中で併存している、その両義的、境界的な在り方も、薩摩切子独特の魅力だろう。


そもそもガラスとは何か。「過冷却液体が結晶化することなしに固化したもの、およびその状態。狭義には、二酸化ケイ素を主成分とし、ソーダ石灰やB_2O_3などの酸化物を副成分として含む非晶質の固体をさす」(森北出版『デジタル化学辞典』第二版)。この定義に従えば、地球上に初めて現れたガラスは、黒曜石、ということになる。

人為的にガラスをつくり出す技がいつ始まったのかは、はっきりしていない。現在知られている限りでは、紀元前二五〇〇年代、メソポタミア南部のウルの遺跡、あるいは紀元前二二五〇年頃のテル・アスマルの遺跡から、ガラス製品が見つかっている。この技術が、第一八王朝時代（紀元前一六―前一三世紀）に中東へ進出したエジプトへと伝わり、紀元前一五〇〇年代以降、未だ不透明で小型のものに限られはするが、さまざまなガラス工芸品がつくられるようになっていった。その中には、鉄・銅などの酸化金属を発色材とした色ガラスも含まれる。

以後、ヘレニズム時代（紀元前四世紀―前一世紀）には、地中海沿岸の諸都市がガラス生産の中心となり、ローマ帝国の拡大と共に、「ローマン・グラス」として広く普及していく。中国では西周時代（紀元前一一〇〇頃―前七七一年）の遺跡で、西方からもたらされたガラスが出土している。やがて戦国時代（紀元前四〇三―前二二一年）になると、西方のガラスを模倣したガラス璧《へき》（新石器時代に起源を持つ璧は、本来円形板状の玉器で、祭祀具、地位の印として用いられた）がつくられるようになり、漢代（紀元前二〇六―後二二〇年）にも継承された。そして弥生時代（紀元前四世紀―後三世紀後半）中期頃、中国産のガラスが日本へもたらされる。中国製のガラス璧をそのまま副葬品とした例もあるが、中国産のガラスを日本で溶かし、鋳型で再成形した管玉や勾玉も多数見つかっている。

日本で、ガラス素材自体の生産まで行われるようになるのは、飛鳥時代後期（七世紀後半）のこと。こうしたガラス類は、弥生時代と同様に高貴な人々の装身具として、また仏堂、仏像の荘厳具としても用いられた。仏教が「七宝」とする七種の宝物には、金、銀、瑠璃、琥珀、瑪瑙、水晶、鼈甲

（経典によって玻璃《はり》／ガラス、真珠、珊瑚、しゃこ貝などを算入することも）などがあるが、瑠璃はラピスラズリ、あるいはガラスと解釈される。それゆえに、たとえば東大寺法華堂の《不空羂索観音《ふくうけんじゃくかんのん》立像《りゅうぞう》》が戴く宝冠をかざる、二万数千個の玉の連なりの中にガラス製のそれが含まれていたり、平安時代に藤原頼通が春日大社へ寄進したという灯籠の側面に、瑠璃色のガラスビーズがびっしりと取りつけられたりもした。

これほど重く用いられてきたガラス製品だが、不思議なことに鎌倉、室町時代になると、日本で製造されたガラスの遺品はほとんど見つからなくなる。飾り金具をつなぐ青、緑、白、黄など色とりどりのビーズにガラスを用いた、熊野速玉《はやたま》大社に伝存する玉佩《ぎょくはい》（公家が儀式の際に着用する腰飾り）など、ごくわずかな例外を除き、ふっつりと姿を消してしまうのだ。この「空白の時代」を経て、再び日本のガラスが輝きを取り戻すには、近世を待たねばならない。ポルトガルやスペインからの南蛮船がもたらした、新しい技術や文化との出会いが契機となった。

天文二〇年（一五五一）、イエズス会の宣教師、フランシスコ・ザビエルは、西国の大名、大内義隆と謁見した折、「老眼のあざやかに見ゆる鏡（中略）程遠けれどくもりなき鏡」（『群書類従《ぐんしょるいじゅう》』第二一輯より「大内義隆記」）を献上。同じくイエズス会士のルイス・フロイスは、永禄一二年（一五六九）に織田信長に「金平糖入りのフラスコ」を、足利義昭に「手の一つおれたるびいどろの器」（聚芳閣『異国叢書1』一九二七年）を贈っている。「空白の時代」を経て、西洋文化の象徴として現れた、老眼鏡や望遠鏡などの光学機器、涼やかなガラス器は、衝撃と共にこの国の権力者たちに受け入れられた。

《薩摩切子 藍色被船形鉢》(19 世紀中頃，サントリー美術館蔵)

江戸時代に入っても、長崎を通じて中国やヨーロッパからレンズやガラス器の輸入は続いていた。これを日本人の手でもつくり出したい、と願う者が出てくるのは、当然の成り行きだ。近世に日本でつくられたガラスのもっとも古い記録は、延宝四年(一六七六)、長崎の豪商で長崎代官も務めた末次平蔵の孫が、密貿易の咎で財産没収となった際、財産目録に記された「日本物ひいと路(びいどろ)釣花入」だ。

和ガラスのコレクションで知られるサントリー美術館の土田ルリ子は、「江戸中期製と考えられる冷酒用の藍色ちろりも、ヴェネチアン・グラスの造形に通じる均等にねじれた把手が特徴のひとつです。乳白色ツイスト脚付杯にも、ヴェネチア様式のレースグラスを模した跡が見られ(中略)今に残る古渡りのヨーロッパ・ガラスに、インスピレーションの源を垣間みることができます」(『ジャパノロジー・コレクション　切子KIRIKO』角川ソフィア文庫、二〇一五年)とする。こうして、今では名前の残らない、恐らくは長崎の職人を皮切りに、ガラスの技術を習得、洗練させていった日本に切子が現れるのは、厚手のガラスを歪みや割れなく完成させるための、徐冷(熱したガラスを時間をかけて冷却する)の技術が確立される、一九世紀を迎えてから。

挿話が伝えるところによれば、始まりは天保五年(一八三四)、江戸屈指のガラス問屋だった加賀屋の手代が、ガラス面を切る切子細工を始めたという。江戸のガラスは町方の商品だ。食器や文具、金魚鉢のような雑貨、櫛・簪などの装身具まで、マーケットの需要と供給のバランスで製品がつくられる。同じ頃、薩摩藩では第一〇代藩主・島津斉興が、その加賀屋から四本《しもと》亀次郎を招き、理化学ガラスの製造に着手していた。時は弘化三年(一八四六)、中国は既にアヘン戦争を経て、香港割譲、五港開港を突きつけられ、異国船打払令から約二〇年を経た日本に対し、西欧勢力からの開港、開国の圧力が急激に高まりつつあった時期である。

「西洋からの船はアフリカの喜望峰を回り、東南アジアを経由して日本へ入ってくるため、玄関口は鹿児島となります。また薩摩藩は琉球を支配していたこともあり、海外の情報はダイレクトに入手できていました。ですから近代化の必要は骨身に沁みて理解していたはずです。嘉永四年(一八五一)に斉彬が第一一代藩主となるとすぐ、現在の鹿児島市磯地区での洋式工場群の設置に取りかかり、大砲や武器弾薬はもちろん、その下支えとなる製鉄、造船、紡績を中心に、軍備・産業の近代化を図りました。その事業のひとつに、ガラスがあったのです」とは、薩摩切子を現代に復活させた薩摩ガラス工芸の島津忠之さん。教科書的な歴史の説明ではなく、ほんの数代前の「身内」の事跡を語る言葉に、他人事ではない実感が籠もる。

嘉永四年に藩主となり、安政五年(一八五八)に急逝するまでのわずか七年間、斉彬が指揮した日本最初の洋式産業群(集成館事業)の規模と先進性は驚異的だ。そのうち製鉄・造船に関わる機械工場、反射炉跡など三資産が、「明治日本の産業革命遺産　製鉄・製鋼、造船、石炭産業」として、二〇一五年にユネスコの世界文化遺産に登録されたことからも明らかだろう。

艦船の明かり取りの窓や薬瓶、試験や精錬に用いる産業ガラスの開発が端緒となったが、薩摩焼と同様に、海外との交易品としての可能性にも着目。清朝で好まれた色ガラスの研究から、紅ガラスの製造に成功し、ヨーロッパのカットガラスの技術と合わせた、独自の切子を完成させるのである。江戸の切子は透明なガラスを素材に用いるが、薩摩藩では無色の素地の上に、色ガラスを溶着させた色被せガラスをカットしているため、より華やかに人目を惹きつける。

紅と藍を中心に、金赤《きんあか》、黄、紫、緑の六色を実現、切子の文様ではストロベリー・ダイヤモンド(矢来に魚子文)、ホブネイル(斜格子に八菊文)、六角籠目《かごめ》に麻ノ葉小文と魚子文、菊文などを好んで用い、さらに素地と色ガラスの境界上にぼかしを表現することで、ヨーロッパのカットガラスにはない、独自の魅力を生み出した。これら「薩摩の紅ガラス」と称された切子製品は、市中に出回るのではなく、藩の贈答品や婚礼調度など、藩公式の用途に供されていた。

だが安政五年に斉彬が急死したことで、集成館事業は縮小を余儀なくされた。その上、文久三年(一八六三)の薩英戦争でガラス工場をはじめとする工場群は壊滅的な被害を蒙ったのである。第一二代藩主島津忠義が集成館の再興に取り組んだため、明治初頭頃までガラス製造が続いていた可能性はあるものの、明治一〇年(一八七七)の西南戦争の前後までに、薩摩切子の技術は完全に途絶えてしまう。幕末に誕生した薩摩切子が存在したのはわずか二〇年ほど。目を射るようなひと瞬きの光芒を残し、流星のように消え去った。

それから約一一〇年、薩摩切子復活の話が鹿児島県と島津家の間で持ち上がったのは、一九八三年のことだ。

「展覧会で薩摩切子が展示されたことを機に、県との間で話が始まりました。とはいえ、当時の職人は誰も残っていませんし、資料もない。沈壽官《ちんじゅかん》さん(李朝陶芸の流れを汲む薩摩焼の窯元。当代で一五代目)のように技術を継承する家もないため、まず薩摩ガラス工芸株式会社を設立(現在は株式会社島津興業の観光事業本部に統合)。ガラス製造に精通した技術者の新村和憲をリーダーに招き、尚古集成館《しょうこ》が所蔵する幕末の薩摩切子を詳細に実測したり、江戸時代に翻訳されたガラス製造本や薩摩切子が掲載された図録を研究するところから、復元に取り組んだのです」(島津さん)

往時のままに、という目標は、ガラス製造のスタートラインから一貫している。中小のメーカーのほとんどが原材料は外部から購入したものを使っているところ、原料の調合から自社で手がけてきた。クリスタル・ガラスは本来、鉛の含有量が上がるほど透明度や光の屈折率が高くなるが、江戸時代には設備や技術上の理由から、鉛成分を四五重量%程添加していた。これを現在の食品衛生法に則り、二五%未満へと変更した。そして現存する優品をモデルに型を起こしては吹きガラスで実際に成形してみて、再度型を修正する、の繰り返し。カットや磨きに際しても、道具からの試作が続いた。もっとも苦労したのは、その上に被せる色ガラスの発色だ。「薩摩の紅ガラス」の名に恥じない、紅に藍、緑、紫、そして金赤と黄。

「黄色や金赤の切子があった、と文献には残っているのですが、現物が存在しない。これについては会社の方で色味を決め、落ち着いた紅に対して金粉を使うことでより明るく澄んだ赤色と、世界でもほとんど類を見ない、透明感のある黄色を完成させました」(島津さん)

薩摩切子製造の、大まかな工程は以下のようになる。

一、原料を調合し、泡のないきれいなガラスに溶融

二、溶けた色ガラスを吹き竿で金型に吹き込み、その上から別の竿に巻き取った透明ガラスを吹き込んで、外側が色＋内側が透明の二層になったガラスをつくる
三、色被せしたガラスを再度炉で加熱し、型吹き(溶けたガラスを型の中に吹き込む)や宙吹き(空中で竿に息を吹き込む)で、それぞれの製品に合った形へ生地を成形、約一六時間かけて徐冷し歪みを取る
四、生地の上に、文様に合わせて分割線を引き、高速回転するダイヤモンドホイールで色ガラスを削り取り、文様を浮かび上がらせる
五、青桐、竹繊維のブラシ、布など円盤の素材を替えながら表面を磨く

現在、工房で働く職員は若手を中心に二五人程度。一、二の工程は高熱の炉に近く、体力面の負担も大きいため男性のみだが、他の工程は男女共に携わる。切子職人、また作家として創業当時から復元に携わり、新作の開発をリードする中根櫻龜《おうき》さんも女性。

「最初は無我夢中で復元に取り組んできましたが、まだまだ進化の途中だと思っています。二〇〇一年に発表した二色被せは、江戸時代の薩摩切子にはなかった技術で、透明ガラスの上に二色の色ガラスを被せたもの。単色の濃淡では表現できない、複雑な色の変化を楽しむことができる。この技術を開発したのが中根です。また二〇一五年にはモノクロームの切子を発売、より現代の生活にマッチするアイテムをつくっていきたいと考えています」(島津さん)

これほど技術の復元、継承に意を尽くした製品でありながら、一度技法や製造が断絶し、一九八

薩摩ガラス工芸による復元薩摩切子 脚付杯

五年から「新たに」つくりはじめた工芸品であるため、薩摩切子はいわゆる伝産法、「伝統的工芸品産業の振興に関する法律」の対象とはならない。そのため、高い技術を持つ職員も、伝統的工芸品産業振興協会が認定する「伝統工芸士」に当たらず、製品も経済産業大臣が認定する「伝統的工芸品」とは名乗れないという(鹿児島県の伝統工芸品には指定)。

伝統とは、継続とは何か、考え込まざるを得ない事態だが、そもそも薩摩切子が藩を挙げてのイノベーションとして生み出されたことと、現在も進化の途上と言い切って憚らぬ矜持とを考え併せれば、「伝統的工芸品」の冠など元より不要なのかもしれない。

薩摩切子は、「美しいけれど脆く儚い」ガラスではない。かつて一瞬で燃え尽きた流星が、灰の中から再び火を掻きたて、滾《たぎ》る坩堝《るつぼ》に投じられて、進むべき道を示す北極星のように輝きを増した。そして伝統とは革新、という、飽きるほど繰り返され、しかし実行の難しいテーゼを、易々と体現しているのだ。

参考文献
谷一尚『ものが語る歴史2　ガラスの考古学』同成社、二〇〇七年。
小寺智津子『ものが語る歴史27　ガラスが語る古代東アジア』同成社、二〇一二年。
ニューガラスフォーラム編著『おもしろサイエンス　ガラスの科学』日刊工業新聞社、二〇一七年。

変化朝顔

奇想の花

子供の頃、小学校にあがるとまず育てることになる植物がアサガオだった。三年生でヒマワリ、四年生でヘチマ、と進むけれど、夏休みに入る直前、小さな身体でアサガオの鉢を抱えて帰宅しなければならなかった大変さは、ひときわ鮮明に記憶に刻まれている。それにしても、最初に種を与えられた時、花色を自由に選べただろうか。教室の窓際に並んでいた花には、少なくともピンク系とブルー系の二色があった。隣家のフェンスに絡んでいたアサガオは紫色だったし、通学路の途中には濃い赤紫のアサガオが咲いていた。多くの人の記憶の中に、さまざまな色あいのアサガオが、夏の思い出と共に咲いているはずだ。だが奈良時代から江戸時代まで、日本に咲くアサガオはたった一色、夏空のような青い花しか存在していなかった。

広義のアサガオは、熱帯アメリカ原産のアサガオと、セイヨウアサガオとに分けられる。種子が持つ薬効から世界中へ広がり、五〇〇年頃に陶弘景《とうこうけい》がまとめた中国の本草書(医薬書)、『神農本草経集注』には既に、牽牛《けんぎゅう》(アサガオ)、牽牛子《けんごし》(アサガオの種子)の名が現れ、下剤や利尿剤として利用する旨が書かれている。この「牽牛」が日本へいつ、どのように伝わったのかは定かではないが、いずれにしても中国、朝鮮半島経由で、奈良時代には知られていたらしい。一方で「朝貌」の語は『万葉集』(八世紀)に登場しているが、これは当時、キキョウのことを意味していた。

平安時代になると牽牛子についての記述が増えてくるのと同時に、牽牛の和名がアサガオになったことがわかる。『古今和歌集』(九〇五)に収録された、矢田部名実《やたべのなざね》「うちつけにこしとや花の色を見む置く白露の染むるばかりを」(急に花の色が濃くなったと見えるだろうか、花の上に置いた露がその色を深めたように見せただけなのに)という歌の中に、花としての「牽牛子(けにこし)」が見えている。また『延喜式』(九二七)の巻三七、典薬寮に薬としての牽牛子が掲載、『本草和名《ほんぞうわみょう》』(九一八)では牽牛子の和名を「阿佐加保」としている。

薬効ではなく、花の美しさに言及するのであれば、まず挙げるべきは『源氏物語』(一一世紀)だろう。第二帖「帚木《ははきぎ》」以降、折々に名の挙がる朝顔の姫君は、光源氏が若い頃から執着してきた従妹として存在感を放っている。二人の間に文《ふみ》のやり取りはあったが、源氏の恋愛遍歴を知る朝顔の姫君は彼の求愛を拒み通し、また長く斎院(京都の上賀茂・下鴨社に奉仕した皇女また女王)の位にあったため、生涯を独身で過ごした。やがて中年となった二人が、久し振りにまみえるのが、第二〇帖「朝顔」だ。そこに花の色合いについての言及が見当たらないのは、青色しかなかったからだろうか。

平安時代末期、平家一門が制作し、嚴島神社へ奉納した《平家納経》(一一六四)の中でももっとも華麗な「分別功徳品第十七」には、金銀の砂子や切箔を撒いた上に、キキョウやリンドウなどと共に、濃い青色のアサガオが描かれている。青一色だったアサガオが、今日見るような多様な色を持つようになるのは、ずっと後のこと。自然の中に生まれた突然変異体の色や形に注目し、コントロールしようという者が現れる、江戸時代を待たなければならない。

人類が食の安定的な確保のため、自然からの採集だけに頼るのをやめ、有用植物の栽培を始めた時期は、旧石器時代にまで遡る。有用な形質を持つものを探し、選び、栽培することで、収穫量や耐病性、耐寒・耐暑性を増し、食味を改善する。人工交配を行い、両親のよい性質を集めた新品種をつくり出す。近代以降は、突然変異を人為的に誘起させる方法も用いられるようになるが、いずれにしても、品種改良には長い時間と手間がかかり、簡単に成功するものではない。無自覚の、あるいは原始的な品種改良は、まずムギ、イネ、トウモロコシなどの穀物、イモ類など、生命維持に欠かせない主食から始まった(ただし日本における最古の栽培植物と見られているのは、縄文時代早期の遺跡から発見されたヒョウタン。成熟すると硬くなる外皮を利用した容器や柄杓、あるいは祭祀などに用いられた)。

食べるため、生きるための栽培は、やがてより規模の大きい農耕へと発展していく。そして農耕によって蓄積された富を支配する者は、食べること、生きることと直結しない植物の栽培を手がけることができるようになった。古代エジプトで始まった庭づくりは、ナイル川の氾濫による洪水を避けるため、壁で囲まれた狭い範囲に留まらざるを得なかった。だが果樹や葡萄棚、神々への供物となる花が栽培され、野鳥のための池を持つ庭の概念は、侵略や交易によってメソポタミアへも伝わり、ペルシアやバビロニアに美しい庭園を出現させる。

振り返って日本へと目をやれば、『万葉集』には一六〇種あまりの植物が詠まれている。その中には庭、宿などの語が共に歌い込まれ、栽培されていたとわかる花も少なくない。日本自生の花木ではヤマブキ、フジ、ハギ、ツバキ、サクラ、ウツギ、アジサイ、アセビ、ツツジ、ネムノキ、タチバナの一一種、庭木としてマツ、タケ、カエデ、草花のユリとナデシコ、ススキ、渡来の花木・果樹・草花では、ウメ、モモ、ケイトウなど一〇種がある。

こうした鑑賞用の花木に、品種改良の技術を使った事例が記録の上に初めて現れるのは、『月詣《つきもうで》和歌集』(賀茂重保撰、一一八二年)だという。「平経盛(一一二四―一一八五年)が、「ならの八重ざくらを家のはなにつがんとて」と、八重咲きという特別な形質を持つサクラの枝を、接木《つぎき》するために他家に所望したという記述がある。この記述により、八重咲きという当時は稀な変異形質で、かつ種子が生じにくい株から穂木《ほぎ》を得ることが目的であったことがわかる」(七海絵里香・大澤啓志・勝野武彦「造園樹木における接木技術の歴史および技術継承に関する研究」『日本造園学会全国大会研究発表論文集抄録』二〇一一年)。鎌倉時代には接木の技術がそれなりに普及していたと見え、藤原定家(一一六二―一二四一年)の『明月記』には、さまざまな品種のウメの挿木、八重桜の接木を行ったという記述が頻出する。

品種改良の技術が大きく発展し――まさに花開いた、江戸時代。そうなるに至った条件は複数ある。まず徳川家の家康、秀忠、家光ら歴代将軍が植物を愛好した。そして家光治世の寛永一二年(一六三五)に参勤交代が制度化されると、諸大名は国元から珍しい品種を運び、将軍に献上し始める。こうした草花は、大名家の江戸屋敷が持つ広大な庭園にも移植され、江戸にはさまざまな品種が集結する。また明暦三年(一六五七)の大火では、江戸城はもとより市中の大半が焼失、復興に際して大名屋敷や寺社で一斉に庭園の整備が行われたため、植木屋や庭木の生産業者が隆盛した。

また泰平の世にあって、庶民にも亀戸天神のフジ、向島の百花園や亀戸の梅屋敷のウメ、百人町のツツジなど、サクラ以外にも折々の花を訪ね、行楽を楽しむ習慣が根づきつつあった。屋外で楽しんだ自然を身近にも引き寄せたい、という願いは、『万葉集』の時代から変わらない。まして都市化の進んだ江戸では、その思いはなおさら強くなる。こうした欲望を、情報面で補完したのが園芸書の出版だ。前時代までの蓄積が、写本ではなく版本によって出版されることで、多くの人々が園芸の知識や技術に触れられるようになった。初の総合園芸書『花壇地錦抄《かだんじきんしょう》』が江戸と京都の書肆から刊行されたのは、元禄八年(一六九五)。著者は江戸の植木商が集まる染井(現在の豊島区駒込付近)でも随一の植木屋とされ、江戸城出入りを許された「霧島屋」の伊藤伊兵衛である。加えて元禄(一六八八―一七〇四年)の頃に、陶磁器製の植木鉢が普及する。鑑賞時の姿が引き立つのはもちろん、持ち運びが容易で、庭のない家でも植物を育てることが可能になった。こうした条件が整ったことで、園芸ブーム、といえる状況が出現するのである。

千葉県佐倉市にある国立歴史民俗博物館付属「くらしの植物苑」は、江戸のアサガオを今に伝え、一般にも広く公開している。一九九九年から毎年夏季に行われているのが、江戸時代に生み出された多数の「変化朝顔《へんか》」の展示。変化朝顔の正木《まさき》四〇系統、出物《でもの》二五系統、明治時代以降の大輪《たいりん》朝顔二五系統、ヨーロッパ・北米産の近縁のアサガオ一〇系統で、約一〇〇系統、七〇〇鉢が並ぶ「伝統の朝顔」展は、公的機関の展示としては、日本でも最大規模なのだ。そしてアサガオの開花は、日没から約一〇時間後。私たちが取材で訪れた八月であれば夜明け頃で、それから気温が上がり、水分が蒸発するにつれて花弁はどんどん萎んでくる。その日もなんとか美しい状態が見られる開苑直後の八時半(早朝開苑日は八時半から。通常は九時半開苑)を目指して、熱心なファンが詰めかけていた。

これがアサガオ? これもアサガオ? これでもアサガオ?

いわば「花見」に来ているわけだが、正直「きれい」でも「風流」でもない、驚きと困惑のコメントしか出てこない。あるものは縮れ、あるものは柳の葉のように細く分かれ、またその先端が折り返し、捻れ、と花弁の形からして、見慣れたアサガオとまったく異なる。色も紅、紫、白、葡萄《ぶどう》鼠《ねず》、吹雪、ぼかしととりどりで、葉や茎も同様に色や形状を異にしている。これが江戸時代に生まれ、現代に至るまで、奇花・奇葉を求めて維持、改変を続けてきた、「変化朝顔」だ。

変化の前に、まずアサガオ栽培の広範な普及があった。松尾芭蕉(一六四四―一六九四年)の俳句に「あさがほにわれは飯くふ男かな」(一六八二年)があり、さらに有名な加賀千代女(一七〇三―一七七五年)の「朝顔に釣瓶とられて貰ひ水」は、一七六三年の作。また寛政期(一七八九―一八〇一年)を代表する浮世絵師・喜多川歌麿による《娘日時計図》シリーズ中の《辰ノ刻》(午前八時頃)には、青

単衣 曙染絽地朝顔に婦女立姿文様(19 世紀，京都国立博物館蔵)

い花を咲かせたアサガオの鉢を持つ女性が描かれるなど、庶民の暮らしの中に、アサガオの根づいている様子が窺える。

一八世紀中頃までは、紅紫色や瑠璃色、二葉朝顔(矮性《わいせい》)が記録された程度で、多様な品種は生まれていない。画期となったのは一八世紀前半、岡山県高梁市(備中松山)での「黒白江南花《こくびゃくこうなんか》」、和名シボリアサガオの出現だ。一七五〇年代には京や江戸でも栽培されていたらしく、伊藤若冲(一七一六―一八〇〇年)《動植綵絵《どうしょくさいえ》》シリーズ中の《向日葵雄鶏図《ひまわりゆうけいず》》(一七五九年)に、印象的な絞りの入ったアサガオが描かれている。平賀源内(一七二八―一七八〇年)が主催した物産会でも、黒白染め分け花と八重咲きのアサガオが出品されたと、展示リスト・解説の『物類品隲《ぶつるいひんしつ》』(一七六三年)に記載される。「前者は今の雀斑で、最初の複色模様の出現であり、後者は花の形が多様化していく第一歩を示している」(米田芳秋『アサガオ　江戸の贈りもの』裳華房、一九九五年)。

もちろん、それまでもアサガオに突然変異は起こっていたはずだ。だがアサガオ栽培が大規模に普及し、かつそれを見守る目という「分母」が増えたこと、そしてアサガオに先立つツバキやツツジ、キクなどの品種のブームに、それらの品種改良に関する技術の蓄積、業者や愛好家層の厚み、といった複数の条件によって、変異が見出される確率は飛躍的に上がり、「黒白江南花」がその先駆けとなった。

交雑や突然変異で鑑賞価値の高い品種ができた時、宿根草や樹木であれば、そのまま変異を保つことができる。ところがアサガオは種子でしか殖えない一年草で、系統の維持も種子で行う必要がある。一方、珍奇な品種(出物)の多くは、雌しべや雄しべが花びらに変化してしまい、種子をつくれない。栽培家たちは、そうした出物の兄弟株(親木)で、一見普通の品種に見える、変化の少ないアサガオの種の中から、再び出物が発生することを経験的に知っていた。そして種子が発芽し、子葉と呼ばれる二枚の葉が土中から顔を出すと、子葉の形に、そのアサガオがどのような花や葉をつけるのかが現れるため、次世代の「出物」を、比較的効率よく選抜することができる。江戸の栽培家たちは、メンデルの「遺伝の法則」が発見される以前から、潜性遺伝子と呼ばれる隠れた性質を持った遺伝子が、ある確率で花や葉の色・形などに発現されることを経験に基づいてそれなりに正確に理解し、親木によって系統を維持していた、というわけだ。

文化・文政年間(一八〇四―一八三〇年)の第一次ブームは、まず大坂から始まり、江戸へと波及した。文化一二年(一八一五)には『花壇朝顔通』、『牽牛品類図考』、同一四年に『あさかほ叢』、文政元年(一八一八)には『丁丑朝顔譜』、『牽牛花水鏡前編』、同二年には『牽牛品　二編』と、大坂や江戸の大手版元が、アサガオの図譜を次々刊行。また文化一三年(一八一六)には、浅草や上野でアサガオの「闘花会(品評会)」が開かれた。第一次ブームでの変異の度合いはそれほど複雑ではない。とはいえ、現存するほとんどの変異が出揃い、現在は見られない、黄色い花弁のアサガオも存在したらしい。このブームは天保の改革の影響でいったん沈静化し、嘉永・安政期(一八四八―一八六〇年)に、より大きな波となって日本を覆いつくすことになる。

嘉永・安政の第二次ブームでも、多数の図譜や、花合わせ(品評会)に出品されたアサガオの優劣を記す見立番付が出版され、大名から庶民まで出物の作出に熱中した。それゆえ栽培法が秘されるようになったのか、第一次ブームの時にはあった栽培に関わる記述は消える。

また葉の色・形、茎の形、花の色・形、花弁の重なりを順に並べて、アサガオの名とする命名法が確立したのも、この時期だ。「羽團扇林風本紅白フクリン茶セン咲牡丹ニト」「孔雀変化林風極紅車狂追抱花真蔓葉数苔生」。まるで戒名のようだが、詳しい者同士には、どんな姿、色合いの花なのかがすぐに理解できる、符牒の塊だ。この命名法を用いる理由について、アサガオの研究者である仁田坂英二(九州大学准教授)は、「突然変異形質をヘテロ接合の状態で維持しているため、品種が固定せず、同じ株由来の種子からも様々なアサガオが分離し、植物体ごとに花銘をつける必要があったからであろう。また、興味深いことに、多数の突然変異形質が複合した出物を観察するだけでは知り得ない、個々の変異体の名称を組み合わせて書かれており、栽培を通して、それぞれの形質が独立に遺伝、分離してくることを観察し、鑑賞用の複雑な株はそれらが複合したものだということを経験的に知っていたからなのかもしれない」(文部科学省、ナショナルバイオリソースプロジェクトHP)とする。まったく同じではないが、現在も変化朝顔の命名は、基本的にこの方式で行われている。

以降も変化朝顔は、明治維新や太平洋戦争など、系統が消滅するような危機に幾度も直面してきた。そのたび、志ある人々が細々と世話をし続けてきた品種や、長期保存された種によって、驚くべき奇花・奇葉の多様性が守られてきた。現在では「くらしの植物苑」や九州大学などで、二〇〇〇以上の系統が保存され、一般への種の配布も行われている。

元をたどればたった一種の青いアサガオから膨大に枝分かれし、文字どおり千変万化を遂げて咲いた花の、単純に美しいと称えることもできない、グロテスクでさえある、その姿。それはたとえ

変化朝顔のうち，管弁獅子

ば、伊藤若冲や曾我蕭白、狩野山雪といった絵師たちにも向けられた言葉ではなかったか。明末清初の中国に興った、「正」ではない、「奇」なるものを志向する文人の精神や、世俗を超越する者こそ聖人に達するという、陽明学左派の「狂」を尊ぶ思想は、一八世紀京都に流れ込み、既存の美を打ち破ろうとする絵師たちの骨格をつくった。小さな鉢の中にも、同じ精神が芽吹いたのだろうか。江戸の人々の心性に流れ、「奇」へ、「狂」へと向かう濁流の波頭に咲き誇るのは、捻れ、膨らみ、引き裂かれ、襞《ひだ》を重ねた異形の花だ。

参考文献

仁田坂英二『変化朝顔図鑑　アサガオとは思えない珍花奇葉の世界』化学同人、二〇一四年。

国立歴史民俗博物館編『伝統の朝顔』一九九九年。

国立歴史民俗博物館編『伝統の朝顔Ⅱ　芽生えから開花まで』二〇〇〇年。

「江戸の植物画」京都文化博物館、二〇一六年。

国立歴史民俗博物館編『第111回歴博フォーラム　伝統の朝顔20年の歩み』二〇一九年。

結髪

髪を制するかたち

洗面所にひと筋落ちているだけで、ひどく気になるのが毛髪だ。つい今しがたまで自分の身体の一部であったものが、そこから離れた途端、不穏な存在に見えてくる。その一方、和泉式部の名高い恋の歌「黒髪のみだれもしらずうち臥せばまづかきやりし人ぞ恋しき」に詠われる黒髪への感覚は、似ているようでだいぶ異なる。逢瀬に寝乱れた女の長い髪、その艶やかな黒髪をかきやり、女の顔を見つめる男。そして今宵、独り寝の床で、過ぎ去ってしまった夜の記憶に思い乱れる女の情念を、薫物のように染み込ませた黒髪のうねりに、たまらない官能性を感じる。

生涯にわたって伸び続ける髪は、生命現象そのものの反映として神聖視され、同時に忌みの対象にもなってきた。みどりの黒髪、という時、私たちがそこに見ているのは黒色ではなく、「みどり児」という言葉と同じく、芽吹きを迎えた植物にも似た、瑞々しい生命力だ。緑を意味するゲルマン語派の green（英語）、grün（ドイツ語）なども、もともと〈育つ〉を意味する語（grow など）と語源を共にすることが知られている。制御不可能なほど強大な生命力の噴出は時に人間を脅かすため、忌避されることもある。これを人の手で制御し、飼い慣らし、洗練させたものが結髪だろう。

「垂れた伸ばしほうだいの髪が自然やエロスの象徴とすれば、結い整えた髪は文化や秩序を表象するもの」(「髪」『世界大百科事典』平凡社)とあるとおり、結髪は、髪が表象する暴力的なまでの生命力を、人間社会の秩序の中に組み込める形の「かざり」へ移行させたものだ。古代日本において、未だ社会に組み入れられていない童女《どうじょ》は、垂髪、放髪《はなちがみ》で、髪を振り乱して遊び興じることが許されていた。やがて一二—一五歳頃になると、夫となる男(もしくは身内の男性)の手で髪を結い上げる「髪上げ」を経て、成人や婚約と見なされる。『竹取物語』にも「三月ばかりになる程に、よき程なる人に成りぬれば、髪上げなどさうして、髪上げさせ、裳着《もき》す」、(かぐや姫を育て始めて)三カ月くらいになる頃に、一人前の背格好の人になったので、髪上げの儀式などをあれこれ手配して、髪上げさせ、裳を着せる、とある。

一定の年齢に達しても髪を結わぬ、放髪の女は、この世の規範から弾き出された存在を意味する。生まれつき逆立った髪を持つことから「逆髪《さかがみ》」と名づけられた皇女は、その苦悩によって狂人となり、山野を流離《さすら》っていた。彼女の弟で、こちらは盲目であるために山へ捨てられた皇子の蟬丸と再会し、互いの不幸を嘆き、慰め合い、最後には運命を受け入れて再び別れていく——とは、世阿弥作とされる能の名曲『蟬丸』である。

荻原規子によるファンタジー小説『RDG　レッドデータガール』シリーズ(二〇〇八—二〇一二年、角川書店)でも、異界の姫神を身に宿す少女は、神を顕現させないためにと、長い髪を堅く三つ編みにしている。あるいは一九八五年に宗田理が書いた『ぼくらの七日間戦争』（角川文庫）は、全国の学校を席倦していた管理教育に抑圧される中学生が、「解放区」をつくり、学校教師や大人に「戦争」を挑む、という筋立ての小説だった。この作品が映画化されたときの挿入歌「GIRLFRIEND」（TM NETWORK）は、「固い三つ編み　ほどいて風におよがす／髪の先まで自由に生きていたいの」と願う少女の姿を歌う。

自らの記憶をたどってみても、三〇年以上前、全国に名だたる管理教育県にあったわが中学校では、女子生徒の長い髪は結ぶか編むかしなければならず、ポニーテールは御法度、うなじの位置での一つ結びか三つ編み、ゴムの色は黒か紺、と決められていた。いま振り返るといささかならず滑稽な上に、愚かしい。教師たちは、縛《いまし》めを解かれた髪を秩序の破壊の象徴のように思っていたらしいが、なるほど、それも故ないことではなかったわけだ。

「かざり」は人為の所産であり、文化であり、社会のコードそのものだ。簡単ではあっても、自ら髪を結い、まとめた経験のある者であれば、（特に直毛の場合）そのことを体感として理解しているだろう。結うための前段階として髪を梳《す》き整え、何らかの整髪料をつけ、人工的な形をつくって、解けないように結び留める。三面鏡のように自分の後背部を見ることができる便利な道具があってさえ、一人でやってみると思ったようには仕上がらない。ベースとなる髪を常日頃から手入れし、髪の自然に逆らう、限りなく人工的な形状に美と威信とを見出し、長く保つことができないひととときの装いに惜しみなく技芸を投じる。その贅沢なありようは、まさに「かざり」の真骨頂だ。

日本列島に暮らす人々が髪を結うようになったのがいつのことか、またそれがどういう髪型だったのか、厳密に立証することは難しい。結髪と切り離せないのが櫛・簪だが、縄文時代の遺跡から髪を飾る櫛が発見された早い時期の例としては、石川県七尾市の三引《みびき》遺跡で縄文時代早期(約七二〇〇年前)の漆塗櫛、また佐賀県佐賀市の東名《ひがしみょう》遺跡からは縄文時代早期(約七〇〇〇年前)の木製櫛、そして福井県鳥浜貝塚からは縄文時代前期(約六一〇〇年前)の漆塗櫛、と枚挙に暇がない。いずれも縦長で櫛歯が長く、歯の数は少ない「竪櫛《たてぐし》」で、装飾のために髪に挿した飾櫛と見られる。素材は骨や角、木、竹、中には透かし彫りなど精巧な彫りを施し、あるいは赤漆を塗り、とさまざまな加工が行われている。こうした手の込んだ飾櫛は、集団の中でも特別な立場にある者しか手にすることはできなかったはずだ。

同じ縄文時代の遺品で結髪の手がかりとなりそうな土偶には、櫛のような実用的な用途はない。純粋に「見て・感じる」ためだけにつくられたものだ。もっとも古い例では約一万三〇〇〇年前、縄文時代草創期(約一万六〇〇〇—一万一五〇〇年前)に遡るが、当初はごく小さく、頭部のないものが多かった。縄文時代中期(約五五〇〇—四四〇〇年前)になると、土偶はついに顔を持つようになる。豊満な胸や腰を強調した女性的な表現も、実はこの頃から。土偶に施された妊娠を思わせる下腹部の膨らみや乳房の表現から、「再生と豊饒への祈り」、あるいは破壊された状態で発掘されることから、「病気や怪我を治すための身代わりでは」など、さまざまな解釈が唱えられているが、女性型ばかりでなく、両性具有や男性の土偶も出土しており、どのような信仰・観念に基づいてそれらがつくられたのか、まだ多くの謎が残されている。

「みみずく型」「遮光器型《しゃこうき》」などと分類され、そもそも人間を写したのかどうかすらも定かではない、時代や地域によって異なる不思議な姿の土偶について、後代の結髪の形状との相似から、当時の人々がそのように髪を結っていたと拙速に結論づけることはできない。弥生時代であれば、六世紀に築造された群馬県の綿貫観音山古墳から発掘された女性の埴輪は、髪を結い上げて額に飾櫛を挿し、首飾り・耳飾りをつけた正装の姿で表され、誤解の余地のない写実的な感覚がある。文字資料としても、三世紀末に書かれた『魏志倭人伝』に、「其風俗不淫　男子皆露紒　以木緜招頭　其衣横幅　但結束相連　略無縫　婦人被髪屈紒　作衣如単被　穿其中央貫頭衣之(その風俗は淫ならず。男子は、皆、露紒《ろかい》し、木綿を以て頭にかける。その衣は横幅、ただ結束して相連ね、ほぼ縫うこと無し。婦人は被髪屈紒《くっかい》す。衣を作ること単被の如し。その中央を穿《うが》ち、頭を貫きてこれを衣る)」とあり、当時の倭の男子は冠をかぶらず結った髪を露出し、婦人は髪を上げ、折り曲げて結っていたと記述される。

だが先述したとおり、縄文時代を通じて少なからぬ、しかも特別に手の込んだ加工が施された櫛が発見されているにもかかわらず、同時代につくられた土偶の頭部に、はっきりそれとわかる櫛の表現はほとんどなく、後期末から晩期に出土した土偶にわずかに見られる程度だという(尾関清子「続、発生期の「櫛文化」の特徴について」『東海学園女子短期大学紀要』第二〇号、東海学園女子短期大学、一九八五年)。こうした古代の事例について、尾関清子(東海学園女子短期大学名誉教授)による一九八〇年代の先駆的な研究は、縄文時代の遺跡から出土した櫛類、土偶の頭部の形状などから、何らかの結髪が行われていた可能性を検証した。それから四〇年近くを経て、国際文化学園美容考古学研究所(村田孝子所長)が創設された。二〇一九年一二月に初めての活動報告会を実施し、「縄文時代の土偶の髪型に関する研究」について報告している。そこで結髪の可能性を指摘されている土偶について、私自身は多くの事例を未だ結髪とは判断できずにいるが、たとえば長野県茅野市の長峯遺跡から出土した、縄文時代中期(約四〇〇〇—三〇〇〇年前)の土偶(茅野市尖石《とがりいし》縄文考古館蔵)の後頭部の意匠のように、編み込みと言っていいのではないかと思われる事例は確かにある。

古墳時代まで降るのであれば、埴輪や文字資料ばかりでなく、決定的な証拠も発見されている。それが七世紀後半の武者塚古墳(茨城県土浦市)から出土した、全長四〇センチ強にもなる結髪そのものだ。美豆良《みづら》、角髪とも書く古墳時代の男性埴輪に広く見られる髪型の一部で、語源は「耳連ら」からというとおり、中央で左右に分けて耳元で束ねた髪を、肩上で折り返して「8」の形に結んだもの。結んだ下端が肩まで垂れた「下げ美豆良」と、耳のあたりに小さくまとめた「上げ美豆良」とがあり、「下げ美豆良」は労働に不向きであることから、身分の上下によって形状が異なるものと推測されている。推古一一年(六〇三)に冠位十二階の制が整えられると、男性は冠をかぶりやすいよう、頭頂で一髻《いっけい》を結うようになり、美豆良は元服以前の少年の髪型として、明治四年(一八七一)に断髪令が出るまで、公家や社家の間に長く残った(明治天皇も幼少時に結っている)。日本独特の髪型と思われてきた美豆良だが、中国・漢時代の画像石や、敦煌莫高窟《とんこうばっこうくつ》の中唐の壁画(第一五八窟)などに同様の髪型が登場していることから、大陸からの伝来かとも考えられている。

女性埴輪の髪型は、前後に庇《ひさし》が突き出たような形をしており、これも概ね写実と解釈できるなら、頭頂部で束ねた髪を内側に折り返して平たく畳み、中ほどを紐や蔓で結んだ、江戸時代の島田髷に

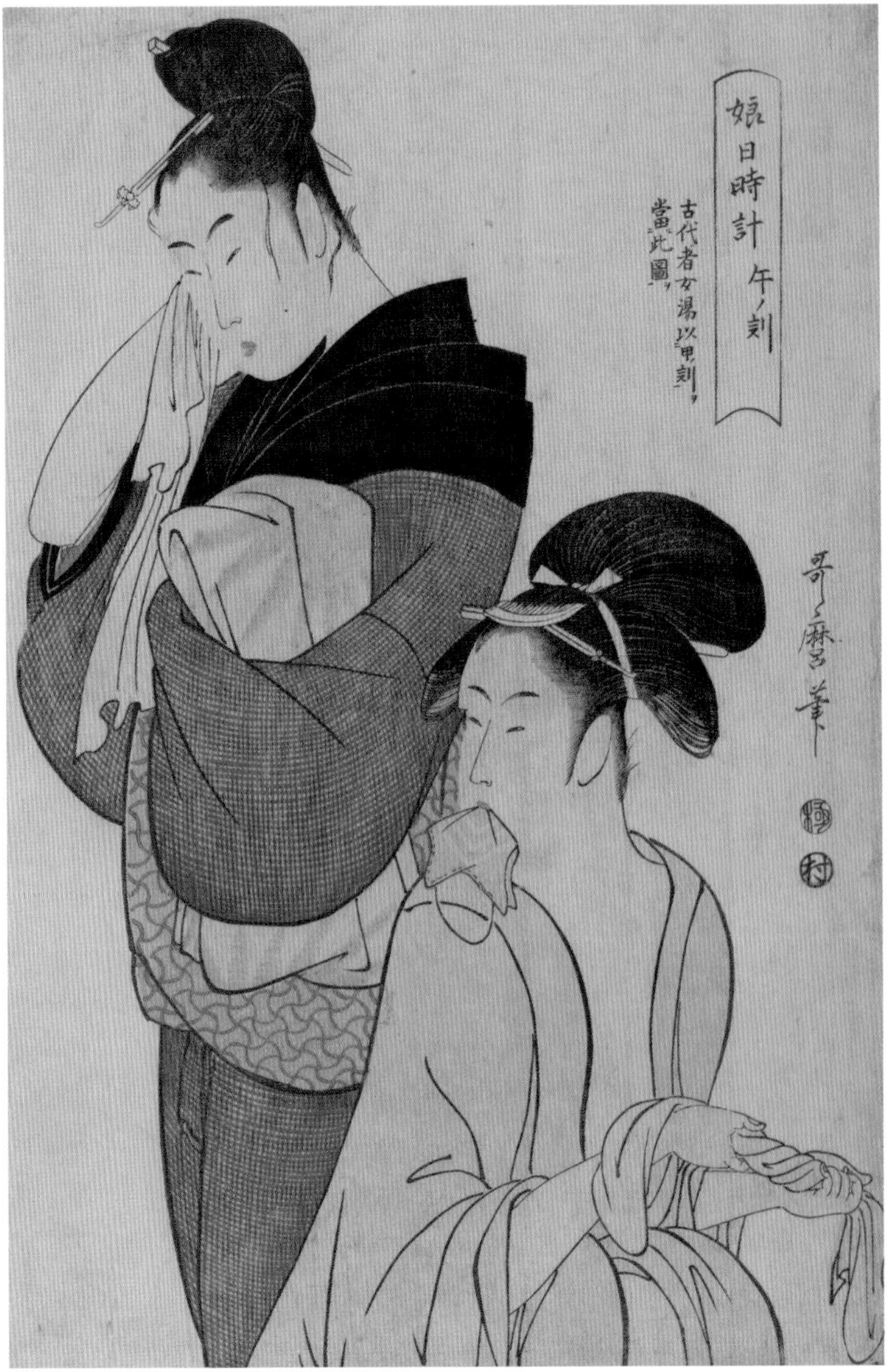

喜多川歌麿《娘日時計・午ノ刻》(18 世紀，東京国立博物館蔵)

似た結髪だったと考えられる。これを「古墳島田」と呼ぶこともあるが、その髪飾りにはヒカゲノカズラのような、枯れても緑を失わず、豊かに垂れ下がる植物を用いたらしい。『万葉集』巻一八では大伴家持が、「見まく欲り　思ひしなへに　かづらかげ　かぐはし君を　相見つるかも」(お逢いしたいと思っていたちょうどその折、ヒカゲノカズラを髪につけた素晴らしいお姿のあなたにお逢いすることができて幸せです)と、同じく家持が巻一九で「あしひきの　山下日影　かづらける　上にや更に　梅をしのはむ」(山の下陰のヒカゲノカズラを髪に飾っている。その上さらに梅の花を見て楽しもうというのですか)と詠み、『古事記』ではアマテラスオオカミが隠れた岩戸の前で、アメノウズメが「天香山の日影蔓を手襷《たすき》に懸け」て踊る場面が描かれるなど、髪や身体をかざるヒカゲノカズラが頻々と登場する。また新嘗祭や大嘗祭などの神事で、かつては冠の巾子《こじ》の根元にヒカゲノカズラをかざったといい、のちには青糸や白糸を組んでつくったものも用いるようになった。令和の即位礼にあたっても、令和元年(二〇一九)一一月一四、一五日に行われた大嘗宮の儀で、腰に剣を佩き束帯姿で弓矢を持つ衛門(衛士)は、清浄を表す白い小忌衣《おみごろも》をまとい、冠にヒカゲノカズラをかざっていた(『皇室』令和二年冬85号、扶桑社、二〇二〇年)。また同日、「悠紀殿《ゆきでん》供饌の儀」へ向かう天皇が通る「雨儀御廊下《うぎおろうか》」は、天井からヒカゲノカズラが吊り下げられていたという(同書)。

　貴族たちは結髪に飽き足らず、重ねて植物／自然の生命力の恩恵を受けようとカズラを巻き、季節の花を挿して「髻華《うず》」と称した。中国の冠位制由来の冠をかぶるようになった後も、冠に金属製の造花や鳥の尾羽、豹の尾などを挿してかざりとしたが、平安時代以降は冠に挿す季節の花の折り枝や造花を「挿頭華《かざし》」と呼ぶようになる。『栄花物語』の「御賀《おんが》」には、「挿頭の花ども黄金、銀の菊の花を造りて」とあり、その華やかさを偲ばせる。

古墳時代以降、貴族たちは唐風の装いを真似るようになり、中国に倣って衣制が定められると、男性は冠とその下の髻、女性は頭上に髷を結い上げ、櫛や釵子《さいし》でかざった。天武一一年(六八二)には、すべての男女を対象とする結髪の詔が、同一三年(六八四)には四〇歳以上の老女と神祇に奉仕する者を除いて女性も髪を結い上げることが定められたが、庶民には定着しなかったらしく、二年後には解除されている。


平安時代も初期まではこの状況が続いていたが、唐の衰退と共に日本の貴族女性たちも中国風の髻を崩し、垂髪へと変わっていく。垂髪なら自然、無秩序かといえば、そうではない。身の丈に余るほどの長く美しい髪を維持しようと思えば、恐ろしいほどの手間を要する。自然状態の過剰なデフォルメ、すなわち人為の極みと言えそうな平安貴族女性の髪は、特に身分の高い者について、その髪を切り(剃り)、俗世と縁を絶って仏門に入ることを「落飾《らくしょく》」と呼ぶところに、本質が現れている。髪を切ることが「飾りを落とす」とは。

本来男女関わりなく使われた言葉だが、男性は「剃髪」とも言うように、頭髪を剃り上げる。女性は肩のあたりで切りそろえた、「尼削《あまそ》ぎ」という髪型にした。これがちょうど髪を伸ばしかけた少女の髪型と似ているというので、出家した女性ばかりでなく、少女の髪型にも「尼削ぎ」の語を用いる。いずれにしても、社会的に「女」と見なされない女性の髪型、というわけだ。髪の長さ、豊かさが美女の第一の条件となっていた平安時代、わが身を飾る最大の武器である黒髪を切断することは、貴族女性にとって、まさにこの世に別れを告げるに等しい行為だった。共寝の床でその髪を手に巻き絡め、かきやった相手の記憶も執着をも断ち切るために、髪を下ろしたのだ。

その後も垂髪は長く続いたが、戦乱の時代を経て、活動しやすい髪型が志向されるようになると、再び結髪が現れてくる。最初に高々と髪を結い上げたのは、芸能者や遊女らだ。ジェンダーや階級に縛られない「傾き者」たちが、その精神を衣服のみならず、旧時代の垂髪とまったく異なる、新しい髪型によって表現し始めた。芸能者や遊里の風俗からは髷が、御所の風俗からは笄髷《こうがいまげ》が現れ、それらが泰平の世に庶民へも広がった。桃山時代から江戸時代の初期にまず流行したのは、同時代(明)の中国女性の髪型を真似て、頭頂部で束ねた髪を折り曲げ、余った髪束を根元に巻きつけて髷をつくる「唐輪《からわ》髷《まげ》」「兵庫髷」と呼ばれた髪型だ。これが、私たちにも見覚えのある「日本髪」になっていくのは江戸時代中期、髪の重みで後頭部のたわんだ部分が、「意匠」として「髱《たぼ》」(語源は「たわ」)となり、長くつきだした形が流行。髪を前髪、鬢《びん》、髱、髷のブロックに分け、「根」と呼ばれる中心部分に、それぞれの毛を集める結髪技法が確立した。明和期(一七六四―一七七二年)以降は、鬢が横に張り出すのと同期して、髱は短くなる。すると襟足が目立つので、衣紋を抜いて、うなじを見せる着こなしが席倦する。こうして髪型と装いは互いに影響を与え合いながら、発展していった。

今や非日常のものとなったその髪型を、私たちはたとえば映画《スター・ウォーズ》シリーズの、女王アミダラの装いに見出して感嘆する。あるいは、現代的な「盛り髪」のバリエーション、いわゆる「名古屋巻き」に端を発し、さらなる技巧と装飾、エクステ(つけ髪)や花飾りなどを重ねた髪

兵庫髷に燈籠鬢を組み合わせた創作日本髪

型も思い浮かぶかもしれない。二〇〇八年頃に実売三〇万部を記録した月刊誌『小悪魔ageha』(インフォレスト)がブームを先導し、「嬢王Aライン」「スジトサカロッキンオンJAPAN」といった名称も含め、舞台衣裳のように自らをショウアップするための、「盛った」(恐らくそこには、「話を盛る」という語が示すように、大げさで真正ではない、フィクショナルな、という含意もある)髪型の撩乱は忘れがたい。私たちはかつて、女性の階層、年齢、社会的立場によって細分化され尽くした、いわゆる「日本髪」があまりに窮屈だと捨て去ったはずだった。だが歴史的、社会的文脈から離れたその髪型は、旧弊というよりアヴァンギャルドな魅力を湛え、世界を誘惑している。

参考文献
橋本澄子編『日本の美術二三号　結髪と髪飾』至文堂、一九六八年。

大原梨恵子『黒髪の文化史』築地書館、一九八八年。

田中圭子『古代から現代まで髪型の歴史と結い方がわかる　日本髪大全』誠文堂新光社、二〇一六年。

平松隆円「〈研究ノート〉黒髪の変遷史への覚書き」『日本研究』第四六巻、国際日本文化研究センター、二〇一二年。

料紙装飾

光ふる紙

古美術を買うようになったごく初期の頃に手に入れたのが、鎌倉時代初期につくられた、紺紙金《こんしきん》泥経《でいきょう》の一巻だった。といっても、高値のつく巻頭の仏画部分は早々に切り取られてしまったようで、私の手もとに来たのは、残る八メートル半ほどの経文部分のみ。深い紺に染められた紙に銀泥で引かれた界線、その間に端然と並ぶ楷書の文字は金泥で記されている。うっすらと盛り上がった文字の表面は艶やかに輝き、地の紺色から夜空の星のように浮かび上がる。

骨董初心者定番の酒器や蕎麦猪口ではなく、いきなり経巻一巻を買ったのには我ながら驚くが（ちなみに経巻の前、最初に買ったのは《サモトラケのニケ》のように両腕を失った観音菩薩像だった）、もともと飛鳥―奈良時代の、力の漲った楷書で書かれた経典が好きだったのと、その中でも特異な「二月堂焼経《やけぎょう》」と通称される《華厳経》に憧れがあったからだろう。

「二月堂焼経」とは、旧暦二月五日の実忠忌《じっちゅうき》に用いられたと考えられている六〇巻本『華厳経』

で、寛文七年(一六六七)、火と水の祭である修二会の夜に東大寺二月堂が全焼した際、焼け跡から発見された。やはり紺紙に銀泥で界線を引き、金泥で経文を書写する。経巻の下端を焼け焦げで欠いているものの、それがあたかも焔の中から仏の言葉が生まれ出ているかのような効果となり、不思議な美しさを放っている。

この「二月堂焼経」について考える時、いつも思い出すのが、歌人、詩人であり評論家でもあった塚本邦雄の編んだ『百句燦燦』『王朝百首』だ。『百句燦燦』の中ほどに置かれた一句は、富澤赤黄男《とみざわかきお》の作。

眼に古典紺紺とふる牡丹雪

藍で染めた料紙の上にただ一行、焼けて黒ずんだ銀の描く一七文字が眼前に浮かぶ。「「紺紺」なる造字の妙」「この紺は雪を銀泥と化し、古典は原典の墨色の濃淡まで髣髴させる。文字面を尊重するならその古典は蜻蛉日記、風雅集、玉葉集、花傳書……」と名を挙げながら邦雄が本文中で讃え、巻末の解説では橋本治がその感動を引き継いで、三島由紀夫『春の雪』の向こうに「紺紺とふる牡丹雪」を幻視し、みずからの『窯変《ようへん》源氏物語』の発想の原点はここにあったと告白する。

『梁塵秘抄』所載の今様をイメージの下敷きとし、銀泥塗りの土坡《どは》から上がる月を見返しに、黄金の輝きを残して没し去ろうとする落日を本紙に描く《平家納経(厳王品)》。浅葱・縹・萌黄・白・薄茶などの具引《ぐび》き地に、女の乳のように重く枝垂れる藤や、秋の野に咲き乱れる撫子を金銀泥で描いた俵屋宗達。繊細なかざりの施された料紙は、書かれた文字、詠まれた歌の背後にあって、その世界観を支え、深め、開いていく。私が料紙装飾に惹かれてきたのは、造形的にも、意味の上でも、陰影深い、豊かな重層性を味わうことができるからなのだろう。

本来主役になるべきは、そこに書かれた文字であり、記された詩歌なり物語なりの内容だろうが、今回取り上げるのは、「支持体」となる紙の方だ。料紙といった場合は単純に、文書や典籍など、文字を書く時、あるいは絵を描く時に用いる紙のこと。用紙、と言い換えてもいい。日本でつくられる、いわゆる和紙は、麻、楮、三椏《みつまた》、雁皮《がんぴ》など、仕上がりに必要とされる雰囲気や機能に合わせて、さまざまな原料を使い分けてきた。いずれにせよ手間のかかる仕事であり、貴重で高価な紙に書くものといえば経典や公文書など、「重い」意味のあるテキストに限られた。現代のように使い捨てにすることはなく、書き損じの反故紙でさえ、その裏側にまったく別のテキストを書いたり、裏打ちに使ったりと、限界まで利用し尽くすのが当然だった。

さて、続く工夫は、より書きやすく、そして重要な文書を長く保存するためのものだ。たとえば紙を粘液で湿らせてから、木槌で叩き締めて表面を平滑にしたり(打紙)、玉や猪牙《ちょき》などで表面を磨いたり(研光)、防虫効果のあるキハダで染めたりと、これもいろいろな手段がある。磨いたことで生じる、それまでの紙にはなかった光や、原料の植物とは異なる深い色合い。当初は「用」が先にあって凝らされた工夫も、別の角度から眺めると、紙に新たな興趣を添えているように見えてくる。唐天竺から届いた貴重な経典や、天皇が自ら筆を執った宸翰《しんかん》など、崇めるべき言葉、尊ぶべき文字を載せる媒体であれば、それ自身も美しく荘厳されていることが望ましい。人々は当然そのように考えたはずだ。書自体も世尊寺流、法性寺流、後京極流、伏見院流、青蓮院流と、その時代の美意識に適うスタイルが追求される一方、文字と呼応し共鳴するように、料紙の装飾にもさまざまな工夫が凝らされるようになっていく。

先に料紙装飾の技法を、グループにわけて列記しておこう。技法は多岐にわたるため、すべての詳細には立ち入らない。これらは単独で用いられることもあるし、複数が組み合わされることも、ほぼすべてを網羅するケースもある。

(一) 染紙《そめがみ》グループ　浸け染め、引き染め、漉き染め、隈ぼかし、打曇《うちくも》り、飛雲《とびくも》、羅文《らもん》、墨流し

(二) 唐紙《からがみ》グループ　雲母刷《きらず》り、空刷り(蠟箋《ろうせん》)、近世木版下絵

(三) 装飾紙グループ　箔(切箔、砂子、野毛《のげ》、裂箔《さきはく》、揉箔《もみはく》)、雲母砂子、下絵、継紙《つぎがみ》(破り継ぎ、重ね継ぎ、切り継ぎ)

古谷稔「料紙装飾に彩られた書の世界」(『特別展　料紙装飾の世界　紙にみる日本の美』茨城県立歴史館、二〇〇一年)参照。

そもそもの始まりは、やはり中国だ。中国では後漢の時代に紙が染められるようになり、日本へもまずこのような染紙がもたらされた。正倉院文書には膨大な数の染紙の名称が記され、その中には既に、箔や砂子を撒いたものも見受けられる。奈良時代に完成した染紙は、続く平安時代、和様化された色彩感覚に同調する中間色を増やし、あるいは染めの技法のバリエーションを駆使して、

打曇紙、羅文紙、飛雲紙などが生み出された。

そして平安時代には、料紙装飾のもうひとつの頂点「唐紙」が登場する。「空の色したる唐の紙に」(『源氏物語』「葵」)、「唐の色紙芳しき香に入れ染めつつ」(同「玉鬘《たまかずら》」)のように、中国の紙、色紙についての言及は、平安時代の文芸作品に繰り返し現れる。これらは舶載の紙一般の総称であって、必ずしも版木を用いて文様を摺り出した、現在でも用いられている「唐紙」(中国では「彩箋」)のみを指す言葉ではなかった。

版木で文様を摺り出した唐紙の最古の遺例は、一一世紀初頭の藤原行成《書巻(本能寺切)》に遡る。三跡として名高い行成は、藤原道長の右腕として仕えた貴族でもあり、まさに『源氏物語』の時代と活動期がぴたりと重なっている。

一二世紀を迎えると、日本でも自分たちの好みに合わせた、唐紙の翻案が試みられるようになる。妙な言い方だが、この時代に「和製の唐紙」を使用した遺例は一七件ほど、文様の種類は六〇例以上が確認されている。さらに上等の紙となれば、金銀の砂子や箔を散らし、文様を摺り出し、金銀泥で下絵を描き、紙自体を破り継ぎ、重ね継いで、と多彩な手法を駆使した装飾が施された。

第三章「供花神饌」で、仏教儀礼の荘厳具であった理想郷のミニチュアといえる「仮山」が、平安時代には文学や和歌の心を意匠化した、「風流造り物」へと変じていった過程に触れた。歌合の場に置かれ、勝ち点となる歌の短冊を吊るしたいわば「スコアテーブル」である洲浜台は、たとえば鏡を水面に見立てて沈香でつくった橋をかけ、水晶を混ぜた白砂を敷いて洲とし、そこに銀製の鶴を立たせ、嘴《くちばし》に歌の短冊を咥えさせる、といった眩いかざりの集合体であった。それが一一世紀半ば頃から、詩歌を筆写する料紙そのものへ、「かざり」についての関心が変化していったことが、四辻秀紀によって指摘されている(「料紙装飾――日本人が培ってきた美意識の系譜」『彩られた紙　料紙装飾』徳川美術館、二〇〇一年)。こうした山水に花鳥などの景物、あるいは鏡、水晶、金銀のかざりを紙の上に写し取るためにこそ金銀泥、箔や砂子などそれぞれに異なる光を宿す素材や、複数の色や文様、技法が工夫されたのだろう。

　繰り返すが、料紙は本来、そのものが自立して鑑賞される作品ではなく、あくまで書や絵を引き立て、演出する「従」の立場にある――はずなのだが、中には書き手や発注者の美意識から生まれた料紙と、時代や流儀によって変遷した書風とが共鳴し、挑発し合い、「一＋一＝二」以上の爆発的な創造性を発揮する例もある。その極致といえるのが、西本願寺所蔵の国宝《三十六人家集》だ。

　平安時代中期最高の教養人として誉れ高い藤原公任が『三十六人撰』に選んだ、飛鳥―平安時代の名だたる歌人たちを、「三十六歌仙」と呼び習わす。この三十六歌仙の家集を類聚したものを『三十六人集』といい、その最古の写本が西本願寺に伝わった。もとは三九帖一具で、この時期の料紙装飾のすべての技法を包括している。現存するものは(冊子、「石山切」などの断簡を含む)三四帖分、その中に六八〇枚余の料紙が使用され、半数近い三〇一枚は唐紙・蠟箋、文様は五四種に及び、舶載の唐紙・蠟箋は一四種、和製の唐紙は四〇種類が確認されている(四辻、二〇〇一)。

　こうして限界まで極められた「かざりの小宇宙」とも言える書跡類は、中世を通じて天皇家や公家、寺社などに秘蔵されてきた。それが戦国の大変動期に至って、《三十六人家集》が、天文一八年(一五四九)に後奈良天皇から本願寺証如《しょうにょ》へ下賜されたことに象徴されるように、新しい鑑賞者、文

かみ添製作の雲母摺のカード

化的パトロンの手に移動することになる。そして同時代の人々——本阿弥光悦や俵屋宗達も、その影響下で創作を行った。慶長七年(一六〇二)、戦国大名・福島正則が願主となって《平家納経》の補修を行った際、願文、化城喩品《けじょうゆほん》、嘱累品の表紙および見返し絵を手がけたものが、宗達のもっとも初期の作品として知られている。同様の趣向で、蓮、竹、鹿、鶴、梅などのモチーフを下絵とし、金銀泥を広く、華やかな「面」として用いた料紙に、光悦が和歌を染筆した和歌巻の存在は、この時代の王朝美術への憧憬をよく表すものだろう。

このような過去に学びつつ、現代にも目を凝らして唐紙制作を行っている唐紙師が、「かみ添」店主の嘉戸浩さんだ。マットな白い具引きの上に、透明な雲母を摺る。地の紙にうす青のヴェールをまとった雲母を引く。雲母摺した紙を後から染め、文様を地紋のように浮かび上がらせる。古典文様や日本固有のイメージだけには頼らず、毎回新しく版を起こした上で、幾重にも重なる光と、紙の白、胡粉の白、雲母の白を自在に操る。襖障子などの建具から、ポストカードや封筒に、ぽち袋。ポップかと思えば、端正で古雅な雰囲気を漂わせもする嘉戸さんの唐紙の、そんな振幅も含めて魅了されてきた。

嘉戸さんは日本でプロダクトデザインを、米国でデザインと印刷技術を学び、両国で仕事をした後、京都の老舗「唐長《からちょう》」へ飛びこんだ。まるで方向性が異なるようだが、雲母摺とその余白に文字、という組み合わせは、現在のタイポグラフィの原型とも言える。一方、料紙装飾の技法も数ある中で、唐紙は具引きと雲母摺というシンプルな技法から構成されているものの、その中に人の手の動きが見えるところが魅力だという。

とはいえ五年間の修行中は、ただつくること、手に技術を叩き込むことに精一杯で、古典的な料紙について学ぶ余裕はあまりなかった。二〇〇九年に独立した後は、寺社、書家、表具師など、唐紙と縁のあるさまざまな職能の人たちとの交流の中で、視野が広がり、展覧会にもまめに足を運ぶようになる。

大きな衝撃を受けたのは、横断的な研究プロジェクト「日本近世における文字印刷文化の総合的研究」の成果として、二〇一八年末に武蔵野美術大学美術館で開催された展覧会「和語表記による和様刊本の源流」に、唐紙師として参加した時だ。

嘉戸さんが関わったパートは、「嵯峨本謡本復元プロジェクト」。慶長一三—元和年間(一六〇八—一六二四年)にかけて、洛西嵯峨を本拠とする豪商・角倉素庵《すみのくらそあん》が、本阿弥光悦の協力を得て刊行した私刊本を、出版地にちなんで「嵯峨本」と通称する。流麗なひらがな交じりの木活字で印刷されたその書物は、それまで写本でのみ伝えられてきた『伊勢物語』『源氏小鏡』『観世流謡本』を、古典文芸に造詣の深い中院通勝《なかのいんみちかつ》らが校訂したもので、学術的価値は極めて高い。のみならず、表紙や本文用紙にさまざまな色の紙を用い、また雲母を引き、あるいは雲母で文様を摺り出し、と豪華な装飾を施した、日本の出版史上もっとも美しいと讃えられる、一連の書物である。

嘉戸さんは雲母引き、雲母摺を担当する中で、嵯峨本の実物をじっくり観察する機会に恵まれた。通常の手順では、ふるいに絵の具(この場合は雲母)をのせ、ふるいから版木のベタ面に雲母を盛る。その上から紙をのせ、手でよく押さえてから紙をめくるのだが、めくるタイミングによってムラをコントロールする。

「私が日本美術史上、一番完成度が高く美しいと思っている料紙は、一二世紀の《古今和歌集(元永本)》です。版木から紙をめくる時、どうやっても必ず絵の具がズレるはずなのですが、そのズレが見当たらない。雲母をムラなく、抜けなく摺ったその仕上がりは圧倒的な美しさで、どうやってつくったのか、いまだに理解できません。一方、展示では完璧に見える嵯峨本も、間近で見ると、具引きの粗さや、雲母摺の完璧ではない、苦労している感じが明らかなんです。安心した、というと変かもしれませんが、あの嵯峨本を手がけた職人でさえ苦労したのか、と身近に感じるようになりました」(嘉戸さん)

古典への理解を深めるのと同時に、嘉戸さんは現代のクリエイターとの協働を、自身の制作の基本にしている。すなわち、自ら新しい唐紙を創案するのではなく、第三者の依頼に基づいて、もっとも適切な方向性、仕上がりを検討し、実現する。たとえば金沢にある六角屋のギャラリー「回KAI」では、正方形の版木に六種の縞を彫ったオリジナルの唐紙《KAI-SHI》を制作。複数の版木を縦横に組み合わせることで、紙と絵の具の色、縞—チェックの文様のバリエーションが無数に生み出せる。文様のレイヤーが重なり合う空間に身を置くことは、これまでの壁や建具に唐紙を貼った空間でのそれと、似ているようで大きく異なる体験だという。

また、坂本龍一が二〇一九年に制作した音楽をまとめたアナログ盤ボックス・セット「Ryuichi Sakamoto 2019」では、手書きの譜面から版木を新調し制作した作品、ボックス、各アナログ盤インナースリーブのアートワークを担当。嵯峨本の復元では苦しめられた、かすれ、ムラ、表情など

かみ添の唐紙を貼った空間,《KAI-SHI》KAI 金沢

それぞれのレイヤーの版下をつくり、それらを重ねて摺った。いわば「ズレ」のサンプリングといえそうな手法は、坂本の音楽とも通じる。嘉戸さん自身も「彼の音楽を唐紙で表現できていると思う」と頷く、近年もっとも納得できた仕事だという。

素朴な手仕事の温かみでも、守らなければ失われてしまう伝統技法でもない。見る人、角度によって、ホログラフィーのように立ち上がり、重層する、迷宮めいた光。秀歌のうちに、先行する歌が幾重にも折り畳まれ、響いているように、その上にのる情報に奥行きを与える料紙は、王朝以来の力を、未だに失ってはいない。

表装

再創造としての表装

日本美術展に頻繁に足を運ぶ方々が、表装・表具を意識するようになるのは、どんなタイミングなのだろう。自分に関して言えば、茶室の床の間で掛軸を見るようになってからのことで、美術館の展示ケース越しに作品を見ていた頃は、ほとんど気にしていなかったように思う。

表装とは、「書画の保存や鑑賞のために、裂地や紙などを補って掛物(掛幅・掛軸)や巻物(巻子《かんす》)、あるいは額、屏風、襖、衝立、冊子、帖などに仕立てること。表具ともいう」(『日本大百科全書』小学館)。要するに絵や書などの作品本体ではなく、紙や絹といった脆弱な材料でつくられたそれらを持ち運び、保存し、鑑賞時にその美質を引き立てるために施された、いわば「外装」だ。

試みに現在の掛軸の構造の概略と名称をご紹介しておこう。

話の後先で言えば、まずは作品(本紙)がある。その上下に、それぞれ幅の異なる一文字《いちもんじ》。作品の一番近くに配され、全体の要ともなるパートだ。本紙と一文字を囲む中廻《ちゅうまわ》しは、本紙を引き立てる、これまた重要な役どころである。そして上端と下端をもって表装を完結させる上下(天地)が、全体の調和をはかる。上端から二筋垂らされる風帯《ふうたい》には一文字と同じ裂を用い、下端の軸先へ目をやると、金属、象牙、水晶などを素材に精緻な加工を施し、表装を含めた作品世界を、龍に目を点じるがごとき鋭さで締め括る。

「本紙」と呼ばれる作品に対して、表具は基本的に「従」の存在だ。たとえば美術全集を開いてみても、通常は表具から切り抜かれた本紙部分だけが図版として掲載されている。もちろん読者は、面積に限りのある紙面で本紙をできる限り大きく、細密に見たいわけだから、表装を省く事情もわかる。だが表装抜きで、その作品を本当に見た＝理解したと言えるだろうか。

展示室で私たちは、まず「本紙」を注視する(人によっては説明文から読もうとするかもしれない)。そして展示室の造作や展示ケースの意匠、ガラスなど、作品と自分を隔てるもろもろを、可能な限り意識の向こうにおいやり、作品そのものと向き合うために視界をチューニングしていく。そういう時はおおむね、表装も視野から外されるはずだ。それはそれで、真摯な鑑賞態度と言えるだろう。だが、たとえば特定の茶事の客へのもてなしとして、他の道具や調度、建築、当日の季節や客の顔ぶれと背景、亭主の立場や好みなどの情報がつくりだす、濃密な文脈の中に置かれる場合は、まったく事情が異なる。入手時のままなのか、現所蔵者の好みに従って表装し直したのか。古典的な仕立てなのか、一部を簡略化したモダンな装いなのか。どのような裂を、どういうバランスで組み合わせたのか。表装と作品の格を一致させたのか、重く、あるいは軽くと外しているのか。表装はその文脈の襞をより複雑にするものとして確実に機能し、茶事の体験をより豊饒なものへと導いてくれる。

本紙を引き立て、またその格に合うよう、時代、素材、技法の異なる裂を(場合によっては自ら蒐集し)取り合わせ、平面上で割り付け、経師《きょうじ》の手でひとつの総合作品へとまとめ上げる。人間でも何を着るか、どう着こなすか、どんな化粧を施すかで、驚くほどその印象が変わり、垢抜けもするように、表装ひとつでこれほどの作品だったとは、と目を見開かされることさえある。

経師に丸投げ、という場合もあるが、本紙の美質を引き出し、映りよく仕上げるプロデューサー役はその時々の所蔵者で、中には並外れた創造性を発揮する者もいる。そうした事例を見るたび、古典的な日本美術においては、実際に筆を執り、あるいは鑿《のみ》を握る者だけが創造性を発揮するのではなく、発注者、鑑賞者の側にも等質等量、もしかするとそれ以上の創造性が必要とされることを、思い知らされるのだ。

表装という営為の始まりは、やはり中国である。九世紀半ば頃にまとまった中国最初の本格的画史書『歴代名画記1』(平凡社、一九七七年)には、表装について触れた個所がある。これによると、晋代(二八〇―三一六年)以前に見るべきものはなく、南朝時代の宋の武帝(在位四二〇―四二二年)以降、明帝(在位四六五―四七二年)時代、梁の武帝(在位五〇二―五四九年)の時代と、表装の仕立てや保存技術が工夫され、唐の太宗(在位六二六―六四九年)に至って、『大唐六典《だいとうりくてん》』にみえる秘書省配下の「熟紙匠十人、装潢《そうこう》匠十人、筆匠六人」の組織などが作られるに至った」(湯山賢一「古文書修理の歴史と理念」、岩﨑奈緒子他編『日本の表装と修理』勉誠出版、二〇二〇年)とある。そして太宗治世下の貞観年間、玄宗治世下の開元年間から、宮中文庫の図書は一律に白檀の軸木、紫檀の軸首を用い、紫色の羅の表装、綴《つづ》れ錦の紐という仕立てが標準になったことが記されている。技術だ。

文字資料である『歴代名画記』から読み取れるのは、紙と糊を用いた、現在までつながる表装の技術だ。これらの技術は仏典などと共に、早い時期から日本へも将来された。律令国家の基本法典である養老令の装潢技術者を天皇に近侍する中務省に属する図書寮に抱えた。「大政官においては、官撰注釈書『令義解』職員令図書寮条には、「装潢手四人、經籍を装潢することを掌《つかさど》る」とあり、（中略）経書・画の仕立てと修理を併せ行う技術者を装潢手と称したことがわかる」（同書）。「装潢」という言葉はそもそも中国語で、狭義では書画の表装をすること、広義ではものや場所を飾り付けることを意味し、「装」は裁断、「潢」には防虫のために紙を染めるという意味があった。彼ら装潢手――表装に関わる者たちは、歴とした国家公務員である。立ち上がったばかりの小国は、東アジアの国際関係の中へ堂々と加わるためにも、世界宗教である仏教の学習、普及を急務としていた。その一環として進められた大規模な経巻書写プロジェクトの中で、装潢手たちは、和紙の染色や紙継ぎ、裁断などに従事していたのだ。

平安時代に官立の写経所は消えるが、貴族たちの生活の中で、和歌巻や絵巻物などの巻子、冊子、扇面、あるいは屏風や障子など、さまざまな形態の作品が楽しまれるようになっていく。恐らく表装の技術も多様化し、国家公務員としてではなく、個々の家の家職として技術が継承されるようになっていっただろう。

この時代の表装がどのようなものだったのかがわかる遺例は極めて少ないが、平安時代末期、一二世紀に制作された《餓鬼草紙》(国宝、京都国立博物館蔵)に、いずれかの寺の境内らしき賑わいの中で、門の隣に仏画を売る店先が描かれている。そこにはマクリ(表装のない本紙単体)の白描《はくびょう》画、そして上下に裂を配し、簡単な軸木を通しただけの、着色された仏画が掛けられている様子が見て取れる。あるいは少し降って一三世紀の《鳥獣人物戯画(丁巻)》(国宝、高山寺蔵)にも、僧侶が奇妙な絵の軸を掛けて、法要を行う様子が描かれている。いずれも風帯はなく、本紙左右に柱も回さない、簡易な形式の表装だ。禅宗と共に中国・宋時代の表装の技術が将来された鎌倉時代、絵巻物の中に描かれる掛物に、一文字、風帯、中廻し、上下という基本構造が揃っていくのがわかる。

また表装のバリエーションとして、描表装《かきびょうそう》、繍仏《しゅうぶつ》が登場する。描表装は読んで字のごとく、本紙だけでなく表装部分も絵で表すもので、唐草文(連続文)や、輪宝《りんぽう》、羯磨《かつま》(飛文)などを描く例が多い。錦や金襴など裂が配される部分を絵で置き換えるような描写があるかと思えば、本紙に描かれたモチーフと呼応する図柄を描き、だまし絵のような効果を狙うものも。もうひとつの繍仏は、絵筆ではなく針と糸によって仏の姿や名号《みょうごう》を表したもので、本紙から表装までを縫いで表現する壮麗な作品がつくられた。中には毛髪を縫い込むなどして、発願者の思いを(物理的に)込めたものもある。

ここまで、日本における掛物としての表装はほとんどが仏画であり、表装はその荘厳の役を果たすものとして稀少な、そして仏教とルーツを同じくする、大陸の錦を用いていた。日本でも奈良時代以降に織られるようになった錦は、多彩な色糸を用いる豪奢な絹の紋織物で、その価が金と等しいがゆえに「金」と「帛」(絹織物)の文字を並べて、「錦」の文字がつくられたとされる。

そこに鎌倉時代以降、中国で学んだ禅僧たちが、伝法の印とされた袈裟や書画を表装する裂として持ち帰るようになった、「金襴」が加わっていく。金襴は綾、繻子《しゅす》、羅、紗などの緯《よこいと》に、金糸で模様を織り出したもの。中国では宋代につくられるようになり、「織金《しょくきん》」と呼ばれた。いずれにしても、第八章「黄金の仮想現実」や、第一二章「光ふる紙」にも書いたとおり、黄金の輝きは「あらゆる穢れや汚辱苦痛に満ちた世界を清浄ならしめる」(須藤弘敏「日本美術における金」、辻惟雄編『「かざり」の日本文化』角川書店、一九九八年)ため、それを浴びるものをも聖なる存在へと変える。貴重な仏画の表装に必須のマテリアルとして、当代の最高の染織品、中でも光をまとった織物が喜ばれたことはよくわかる。やがて室町時代に至ると、仏画だけではなく、世俗の絵画も含め、黄金の光を宿した裂による表装が普及することになる。その契機となったのが、いわゆる「東山表具(表装)」だ。

　足利将軍家が中国の皇帝や古代の天皇に倣い、自らが新たな権威となるべく中国や日本の文物を収集した経緯は、第二章「かざる方程式」で紹介した。この将軍家によるコレクションを、「東山御物」と呼ぶ。東山とは第八代将軍足利義政とその居所を指すものだが、実際には三代義満、六代義教らの蒐集にかかるものが中心を占める。将軍家に収蔵された中国絵画は、桃山、江戸、そして近代に至るまで「唐絵」の最高峰、日本における絵画の規範として絵師たちから仰ぎ見られ、時代と共に移り変わる権力者たちはその一部なりとも、と架蔵を望んだ。

　「東山御物」に施された表装は、「東山表具」と呼ばれ、何よりまず、最高級の金襴・緞子《どんす》(繻子組織を基本とした紋織物で、光沢に富み、文様が地と異組織であること、経緯に異色の色糸を用いることによって、文様が明瞭に表される)を惜しみなく用いたものとして思い起こされる。また『石州表具

杉本博司が表装をディレクションした《華厳滝図》

寸法書』に伝えられる「表具三体」は、能阿弥(一三九七―一四七一年)の口伝と、相阿弥(?―一五二五年)の図によって定められたとされる。能阿弥、相阿弥、芸阿弥を代表とする阿弥衆(同朋衆)は、将軍の傍近く仕えてその好みに従い、あるいは助言し、代々のコレクションの管理、鑑定、展示などの任に当たった学芸員、あるいはアートディレクターのような役どころの人々だ。なるほど、後世の我々の目に、「東山表具」が一定のルールに律されているように見えるのも、彼らの見識とセンスによるところか、と頷ける。

問題はその規則性ゆえ、それらしい画風の宋元画に「東山表具」風の表装を施せば、市場価格を遥かに上回るプレミアムがついて流通する、「なんちゃって東山御物」の一丁上がり、となるところだ。悪意のない場合でも、東山御物「級」、と鑑定された唐絵に、その格にふさわしい裂と形式で表装を仕立てれば、これまたいつの間にか「級」が取れ、将軍家伝来の御物でございます、ということになってしまう例も少なくなかった。

本紙を引き立て、荘厳するための表装が、いつのまにか主従を入れ替え、本紙の実質を担保する役割を担ってしまう。虚飾というより、美術作品が本質的に持つ虚構性の共犯者として、表装が過剰に機能してしまった例と言えるかもしれない。少なくとも用いられる裂自体は、いずれも東山表具として通用するレベルのものなのだから。

加えて足利義政の室町殿における座敷飾りのマニュアルとして編まれた『御飾書』には、掛竿で軸を扱う手順や、掛緒のさばき方についての記述もあり、近世以降の茶人たちの、軸の扱いの手本ともされた。こうして礼拝対象の仏画とは異なる、鑑賞して楽しむ世俗絵画の表装の基礎が、その扱いまで含めて東山表具を通じて確立され、現代に至る表装の文化を形づくっているのである。そしてこの後、近世に興隆したわび茶の世界で、表装はより豊かに発展していった。個々人の趣味を活かした表装が行われ、またそれが記録され、技術も更新されていったのだ。

二〇一六―二〇一七年にかけて京都文化博物館で開催された「日本の表装―掛軸の歴史と装い―」展は、実物の軸や史料を用いて「表装を読み解く」ことに特化した、これまでに例のない展示となった。その図録は、近世茶人たちの動向を「武家社会の中で見られた表装を介する遣りとりは、趣味はもとより、人脈、世代、家系、身分から財政状況、政治力学といった文脈をも示唆するものであった」(森道彦・中野慎之「掛軸について」)と評している。

もうひとつ注目すべき展覧会は、二〇一九年の秋に京都国立博物館で開催された「特別展　流転100年　佐竹本三十六歌仙絵と王朝の美」だ。秋田藩主・佐竹家に伝わる《三十六歌仙絵巻》を、当時の財界を代表するコレクター、益田孝(鈍翁《どんのう》)ら近代数寄者たちが共同購入の上、分割所蔵した経緯を踏まえ、それぞれの所蔵者が「至宝」の表装をどう仕立てたのか、というあたりを紹介するものだった。作品にふさわしい表装をと、本紙を上回る金額を投じて名物裂を入手。表装が完成するまでに少なからぬ時間を要したため、所蔵者がその軸を掛けて茶事を催したのは、死の直前のただ一度きり、というエピソードが残る作品もある。

彼らの衣鉢を継ぐ現代の表装巧者の一人が、現代美術作家にして古美術コレクターの杉本博司だ。「佐竹本」展からバトンを受け取ったかのようなタイミングの二〇二〇年四―九月、その「巧者」

ぶりの何たるかを露わにする、「飄々表具――杉本博司の表具表現世界」という人を喰ったタイトルの展覧会を、京都・細見美術館で開催した。メディアが注目したのは、アンディ・ウォーホルのサイン、坂本龍一の楽譜、白髪一雄の抽象画といった、通常なら表装の対象にはなり得ない作品を、貼《はり》風帯にしたり、柱を省いたりと、モダンに仕上げたもの。表装に対する先入観を取り払うには格好のサンプルだが、やはり溜息が出るのは、経巻、仏画、垂迹《すいじゃく》画など、奈良、平安、鎌倉に遡る作品の古格や迫力と互角に組み合った表装だ。紙布や麻布など単色の裂、金銀の古箔のストイックさと、錦、金襴、印金、辻が花、小袖裂など、色や文様、光の溢れる豪奢さとが、絶妙のバランスで組み合わされた表装は、誰の目にも「杉本表装」の個性として読み取ることが可能だろう。

材料となる裂を入手するための経路や資金はむろん必要だが、それ以上に、佐竹本といい杉本表装といい、これればかりは真似のできる気がしない。絵に、あるいは書に、筆を染めるのは絵師であり、僧侶であり、文人であろうが、それにふさわしい表装を施す鑑賞者の創意の冴えもまた、恐ろしい。佐竹本は単純に表装を工夫しただけではなく、作品の形状そのものが、絵巻から掛物へと大きな改変を受けている。その分割を単なる破壊ではなく、そうしなければ守れなかったかもしれない作品の、その時代なりの「再創造」と見なすことは、できはしないだろうか。そして遡れば足利将軍家こそ、牧谿の画巻《瀟湘八景図《しょうしょうはっけいず》》を場面ごとに分断して掛物へ仕立て直したり、あるいは本来一対のものとして描かれたわけではない(それどころか現代の鑑識では制作者も異なる)、梁楷《出山釈迦図》《雪景山水図》を三幅対として表装したりという、鑑賞者主導による創造性の発揮を十八番としている。

同じく《地蔵菩薩後光光背図》

どちらが主でどちらが従か、という区別がもはや渾然として分かたれず、鑑賞者と制作者の創造性がつばぜり合いする作品の前に立つ時、その幸福に目も眩む思いをするのである。

刀剣

武士の魂は「おかざり」か？

近ごろ都に流行るもの——ではないけれど、昭和四〇年代を最後に蒐集や鑑賞の担い手が減る一方だった刀剣の、時ならぬブームが日本を席倦している。これまで年配男性が大半を占めていた刀剣の世界に、ゲームの流行をきっかけとして若い世代、しかも女性が雪崩れ込んできたことを歓迎する向きは多い。そんな話を近世絵画を専門とする日本美術史の重鎮としていたとき、その方が若い頃に在籍した博物館で、金工の研究者たちが刀の手入れをしている姿を垣間見るたび、違和感を抱き、ご自身は肉体的な恐怖を感じていた、という話を聞いた。これは私自身も同じような感覚を持っているから、よくわかる。展示台に固定され、ガラスケースに収まっていてなお、その鋒《きっさき》側に立つと、身中にひやりと冷たいものを感じる。

獣を仕留め、あるいは植物を刈り取り、そうして得た食物を調理する。皮を剝ぎ、骨を削って、新しい道具をつくり出す。そして時に、利害の対立する相手に向ける。人類が生産と生存のためにつくり出してきた利器の中で、木器や石器とは比べものにならない強大な力を有するに至ったのが、金属器だ。現在確認されている限りでは、タンザニア・オルドヴァイ渓谷で見つかった、二六〇万年前のホモ・ハビリスの手になる石器(ケニア・トゥルカナ湖西岸で発見された石器は、三三〇万年前に制作された可能性が示唆されている)を嚆矢として、銅器(現状で最古とされるのは、北シリア・ハラフ遺跡から出土した、紀元前五五〇〇―前四五〇〇年頃に自然銅を叩いてつくったもの)、そして鉄器へと、人類の武器・生産道具の趨勢は移り変わってきた。

中でも鉄は原材料が自然界に豊富に存在する上、炭素を添加して「鋼」にできれば、強度は青銅に勝る。この優れた特質ゆえに、青銅器が果たせなかった石器の駆逐を完遂した鉄器は、「生産力を飛躍的に高め、武器を発達させ、社会の繁栄と分解とを促進して、人類社会の発展に決定的な役割を果たした」(『日本大百科全書』小学館)。

最古の道具・石器について、考古学者の松木武彦は認知考古学の立場から、「ヒトが初期に獲得した美の感覚のひとつに、左右対称があるという。配偶者を選ぶとき、病気や寄生虫におかされていないしるしとして、左右対称の顔や体に誘引される性向が進化した、という説だ。このような、心理的に人がひきつけられる要素のことを、専門用語で認知的誘引性という。後期アシューレアンの精製握り斧は、この左右対称のもつ認知的誘引性を物質に表現したものといえる。／さらに、表面全体を細かく調整剝離した独特の光沢は、自然界にない質感ゆえに知覚上の注意をひきやすい。きらきら目立つという知覚的特性もまた、美の感覚を生んだ根源のひとつだ」(『全集　日本の歴史第

一巻　列島創世記』小学館、二〇〇七年)と述べる。

金属器についても、同様の説明が可能だろう。自然の中にはほとんど見られない輝きと質感。利器ばかりでなく、銅鐸のようにそこから耳慣れぬ音を彼方まで鳴り響かせるものもある。これら生産と生存、そして祭祀のための道具として営々とつくられてきた青銅器とは、まったく異質なレベルの殺傷力を備えて登場したのが鉄器だ。それはどのようなかたちを採ったのか。

当たり前に想像するなら、実用品の中の実用品として機能のみを追求していった結果、人間が持つ美意識の限界に制約されない、機能美としか呼べないものが生じる——といったところだろうか。たとえば「日本刀」についてかつての私が持っていた認識はそうしたものだった。

だが「生産と生存のため」を超え、人を殺傷することを「機能」とする武器は恐らく、その機能を剥き出しにしたままではいられない。それを持つ人間の方が耐えられない。「刀剣ブーム」の中で、これまであまり縁のなかった刀剣類と接するうちに、そんな風に考えるようになった。

二〇一九年、即位にかかわる一連の行事・儀式の中で、歴代皇太子が受け継ぐ《壺切《つぼきり》の御剣《みつるぎ》》や《行平御剣《ゆきひらぎょけん》》、即位礼正殿の儀に際して高御《たかみ》座《くら》に奉安された剣璽(天叢雲剣《あめのむらくものつるぎ》の形代と八尺《や》瓊勾玉《さかにのまがたま》)など、ブームとは別に刀剣が注目を浴びる機会は少なくなかった。むろん、皇室ゆかりの刀剣類、しかも神器(形代)そのものが一般の目に触れるはずもなく、それを納めた箱を、宮内庁の職員が恭しく捧げ持って歩く姿を見ただけだ。それでも十二分に、刀剣が担う象徴性は伝わってきた。そもそも皇位継承のレガリア(王権の象徴物)が、なぜ剣であり鏡であり玉なのか。とりわけ剣が、より大きな存在感を持っているのはどうしてなのか。

弥生時代にまず青銅製、次いで鉄製の武器が、海を越えて大陸からもたらされた。ことに人々の心に強烈な印象を刻み込んだのが、鉄器の甚大な殺傷力だ。たとえば『古事記』に語られる火の神カグツチ殺害にいたる場面は、その炎によって、出生時に母イザナミノミコトを死に至らしめてしまったカグツチに対し、愛する妻を失った父イザナギノミコトが怒りに駆られて十拳剣《とつかのつるぎ》をふるい、その頸を斬り落としたことによる、と記す。火の神の凄惨な死体からは血が噴き出し、そこから雷神、水神などが次々と生まれた。身体さえ両断する鉄剣の猛威と、揮われる力の大きさにおののく心が、神話の中に語り留められている。

カグツチの流した血の中から生まれた神の一柱《ひとはしら》、雷神タケミカヅチの携えた刀とされるのが、「韴霊《ふつのみたま》」である。記紀ではアマテラスオオカミが神武天皇の熊野平定を助けるため、タケミカヅチに命じて天皇に授けたと伝える霊剣で、後に奈良の石上《いそのかみ》神宮に祀られた。この「フツ」の名は、鋭く断ち切る切断音に由来すると考えられてきた。韴霊は極めて霊威が強く、扱いが不適切だと災いをなす。それを鎮めるためにと、いつの頃からか韴霊は石の櫃に納めて土中へ埋納され、周囲は禁足地とされた。明治時代になってこの禁足地を発掘した際、勾玉や管玉と共に、言い伝え通り鉄剣が出土している。

出土した鉄剣は、内反環頭大刀《うちぞりかんとうのたち》と呼ばれるタイプの刀(古墳—平安時代中期頃までの刀は「大刀」と称する。平安時代後期に鎬造《しのぎづくり》・湾刀《わんとう》様式の「日本刀」が完成する以前の直刀(茎《なかご》から鋒まで直線で反りのない刀剣)で、外反りの刀＝「太刀」と形態、携帯法、使用法を異にする)で、柄頭《つかがしら》に茎から一体となった環をつくり出し、いわゆる「日本刀」とは逆に、刀身が内に反るという独特の形状を持つ。このタイプの刀は弥生時代終末期の古墳から出土するようになり、四世紀に築造された奈良県の東大寺山古墳からも同種の、刃長一メートルを超える内反環頭大刀が出土している。まさに拳十個分に相当する、「十拳剣」だ。そのうちの一振《ひとふり》に施された金象嵌《きんぞうがん》の銘文に、後漢時代の年号が読み取れることから、二世紀後半に中国大陸でつくられて日本列島へもたらされ、その後日本で青銅製の環頭が取りつけられたと考えられている。「一〇〇回も鍛えた優れた刀で、天上では天体の運行に対応し、地上では悪いことを避けることができる」という銘文の内容からは、ただ鋭利な武器というだけでなく、特別な霊力を持つ剣として畏怖されたであろうことが窺える。

そうした特別な剣には、かざりが施された。前述した大刀の柄部分に環状のかざり(環頭)をつけ、環状部や中心飾に走龍文や鳳凰文を配した環頭大刀は、朝鮮半島(百済)に起源を持つ造形だ。日本列島に伝播した当初の走龍文や鳳凰文は精巧な造りだが、時期が降るほど表現が段階的に崩れていくことから、制作年代を特定しやすい。さらに古墳時代も後期を迎えた六世紀になると、金や銀、金銅で柄や鞘を飾った「装飾大刀」が流行する。環頭大刀、圭頭《けいとう》大刀、頭椎《かぶつち》大刀など多彩な装飾大刀は、大和王権との関係の証として、地方の限られた有力者だけに配布された。そして日本独自の様式(倭装《わそう》大刀)の中から、柄頭に「捩《ねじ》り環頭」と呼ばれる部品を取りつけ、柄を握る手の甲を保護する「勾金《まがりかね》」に玉を連ねて装飾性を強めた捩り環頭大刀が生まれる。こうした捩り環頭大刀がやがて、伊勢神宮の御神宝《玉纏太刀《たままきのたち》》のような、格式の高い儀仗としての刀につながっていったと考える研究者もいる。

古墳時代中期には、ひとつの墓の中から一〇〇を超える大量の鉄製の刀が副葬された事例が見つかるようになり、軍を率いる将ばかりでなく、一兵卒に至るまで刀が行き渡っていたことが想像される。そして鉄製の刀を帯びた者たちは、その威力にまず熱狂し、次いで恐怖を感じたのではないだろうか。「兵は不祥《ふしょう》の器《うつわ》にして、君子の器にあらず」とはよく知られた『老子』の一節だが、血を流し、滅ぼされた者たちの怨念は、必ず刀を揮った者へ向かう。個人が引き受けねばならない負の想念を祓い、刀を携えた「不祥の器」(軍隊)を用いることを正当化し、彼らを率いる者を権威化するためにこそ、刀は執拗にかざられる必然があった――というのが、今のところの私の見立てだ。

古墳時代以降、正倉院に伝わる刀はもちろん、平安時代前期から中期にかけてはまだ直刀が盛行していたようだが、軍事貴族化した武士が台頭してくる平安時代後期に至って、折り返し鍛錬を行い、刃に焼入れを施した、立体的な鎬造(靭性と強度を両立させるための形状でもあり、刃と棟との間の山形に高くなった線状の筋、稜線)で雄大な反りを持つ湾刀が完成する。これがいわゆる「日本刀」で、腰から吊り下げて着装し(=佩く)、名称も「大刀」から「太刀」の字に変わった。武士が実権を握る鎌倉時代に入ると、太刀の幅は広く、鋒は大きく、重ね(刀身の厚み)は厚くなる一方、反りの位置は上部へ移動。中央部で反るようになり、まさに魁偉な武士を髣髴とさせる、豪壮でマスキュランな姿となった。鎌倉幕府が倒れて南北朝の争乱が始まると、太刀の厚み、長さはさらに増し、刃長が九〇センチを超えるような「大太刀《おおだち》」も登場。続く室町時代、南北朝が統一され、戦いが沈静化するのと軌を一にして太刀のバロック化はいったん止まる。しかし足利幕府が弱体化し、日本

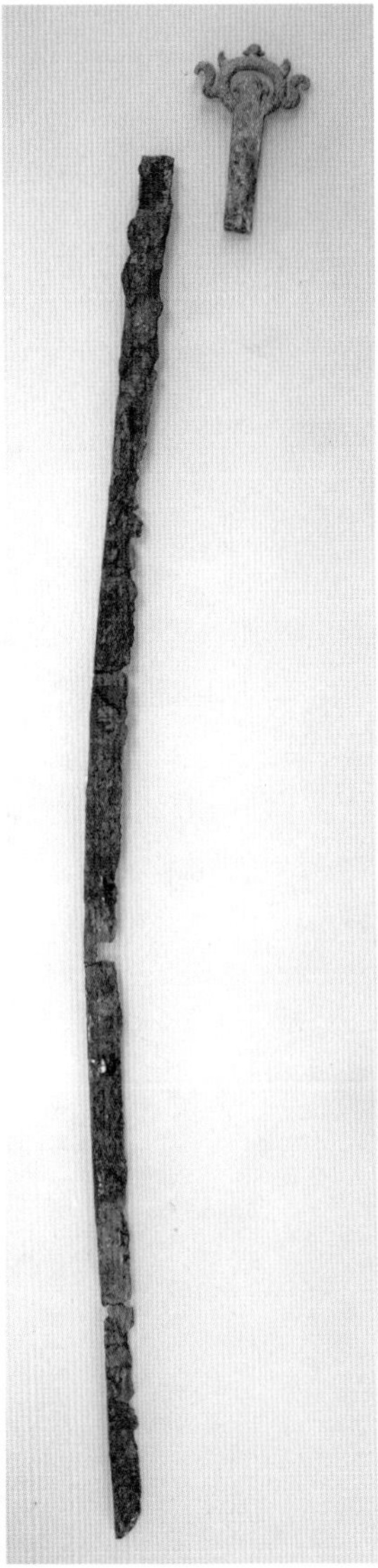

《金錯銘花形飾環頭大刀》(環頭：4 世紀，刀身：2 世紀，東京国立博物館蔵)

全国で戦闘が頻発する戦国時代に入ると、歩兵を中心とする大規模な集団戦闘に適した、薄く軽量で、戦闘のプロでなくても扱いやすい打刀《うちがたな》が、太刀に代わって大量に生産されるようになる。そして豊臣秀吉の刀狩りを経て迎えた泰平の江戸時代、剣術は普及するものの実戦は遠ざかり、刀は武士の象徴として、大小(打刀・脇差)の二本を揃いの拵《こしらえ》に収め、腰に挿されるようになった。

ほかにも腰刀・長巻・薙刀・鎗・鉾など、形状の異なる刀剣類もあるが、大まかに日本刀の歴史をまとめれば、このようになる。

三種の神器のひとつで、王権を象徴するレガリアであるはずの剣だが、平安時代の公家たちは基本的に儀仗——儀礼の尊厳を自他に感受させる威儀の料として、儀礼の場で身に帯びることしかしなかった。政治が安定すれば、刀剣は象徴性だけで十分に事足りるのだ。たとえば藤原一門の氏神を祀る春日大社には、藤原頼長が納めたとされる刀剣、国宝《金地螺鈿毛抜形太刀《きんじらでんけぬきがたたち》》がある。鞘は金《きん》沃懸地《いかけじ》に螺鈿で、竹林に雀の群を追う猫をあらわし、全体に細密な毛彫りを施して要所にガラスや琥珀を嵌め込む。さまざまな材質と技法を巧みに組み合わせた、平安時代に遡る蒔絵螺鈿工芸の最高傑作として知られるが、刀身はといえば今や錆びついて、抜くことさえできない。

一方、実用品として刀を佩き(ただし太刀が戦闘時の主力兵器となることはほとんどなかった)、軍事貴族として台頭してきた武士たちは、鞘や鐔《つば》など刀装具に華やかな工夫を凝らすだけでなく、鉄の塊である刀身そのものに「鑑賞」すべき見どころ、景色を求めるようになる。貴金属ではない「鉄そのもの」を鑑賞する文化は、世界的に見ても極めて珍しい。そして原材料の性質や制作技法ゆえに刀身に現れるさまざまな視覚的要素を、日本の刀工たちは意識的にコントロールし、流派や個人の特徴を表出しながら発展させてきた。鑑賞する側も、その差異を細やかに観察して言葉による表現を磨き、あたかもソムリエが極上のワインを分析・描写するがごとき緻密さ、詩情をもって、刀の特徴を描き出したのだ。

ひとつ目の鑑賞ポイントは姿。全体的なプロポーションから刀身の反り、厚み、長さ、鋒や茎などの部分にいたるまで、時代の雰囲気がよく現れる。

二つ目の鑑賞ポイントは刃文。日本刀の制作過程では、厚みを変えながら刀身に焼刃土《やきばつち》を塗り、刃先を高温で熱した後、水に入れて急冷する「焼入れ」を行う。この時、塗る土の厚さによって冷却時間を調整することで、刃先は硬い(曲がらず＋よく切れる)鋼に、棟と内部は柔らかく靭性の大きい(折れない)鋼組織にできる。そこを研磨することで現れる白い模様を、刃文と呼んだ。土の塗り方でさまざまな刃文が生じることを、刀工が意識的に操作するようになるのは鎌倉時代中期頃からで、備前国の丁字文、相模国の正宗が創始したのたれ文など、個人、流派の特徴を強調する刃文が発展していった。

三つ目のポイントが地鉄《じがね》。刀剣の材料となる鋼、あるいは焼きの入っていない地の部分で、鋼の精錬方法や鍛錬方法の違いによって、その表面にさまざまな模様や色を表出させる。物流が未発達だった江戸時代以前は、原材料や技法が地域・流派ごとに異なり(技術者集団の移動もあった)、個性が顕著だった。日本では弥生時代初期に大陸から鉄製品がもたらされ、弥生時代中期には輸入された鉄の加工が、また古墳時代からは製鉄が始まっている。しかし鉄鉱石はすぐに掘り尽くされ、平安時代頃には砂鉄が原料となる。また大陸から原料としての鉄の輸入が中世まで続いたとする仮説もあり、地鉄の個性がどのように生じていたのか、謎は多い。そして戦いがなくなって刀が「無用」の具となり、地鉄がより画一的になる江戸時代以降は、いっそう刃文に表現の比重が移り、流水やそこに流れる桜の花や紅葉、あるいは富士山などをイメージさせる絵画的な刃文なども現れた。

江戸時代はまた、刀が儀礼の場での「贈答品」となった時代でもある。将軍と大名は儀礼的な会見の場で、時に刀を献上しあるいは下賜し、大名間でも贈答し合った。その価値を裏書きするのが、刀剣の鑑定《めきき》・研磨《とぎ》・浄拭《ぬぐい》を家職とし、折紙発行の権利を幕府から認められていた本阿弥家だ。毎月決まった日に一族が集まり、持ち込まれた刀を鑑定、すなわち「備前国◯◯」などと作者を極め(同定)、その証として鑑定結果と「金三百貫」など具体的な金額による価値評価を、「折紙」と呼ばれた用紙に記す。「折紙つき」の語源もここからだ。

戦場にあれば折れることも、その時々の持ち主の体格や使い勝手に合わせて磨り上げたり、研ぎ減ることもある。だが戦いがなくなった時代の刀剣は、もはや誰も実用することがない。というより、「赤穂事件」のように下手を打てば御家断絶の可能性もある「用」はむしろ固く封じ、刀装によって覆い隠し、何なら鑑賞さえ不要の「折紙」という体裁の金券に変換して、「天下の回りもの」としてまさしく貨幣のように流通させたのだ。それでも刀が空疎な虚飾とされることなく、「信用」を保ち続けてこられたのは、いかに表層を取り繕おうとも、薄れることも失われることもない、原初の恐るべき暴力性のゆえだろう。

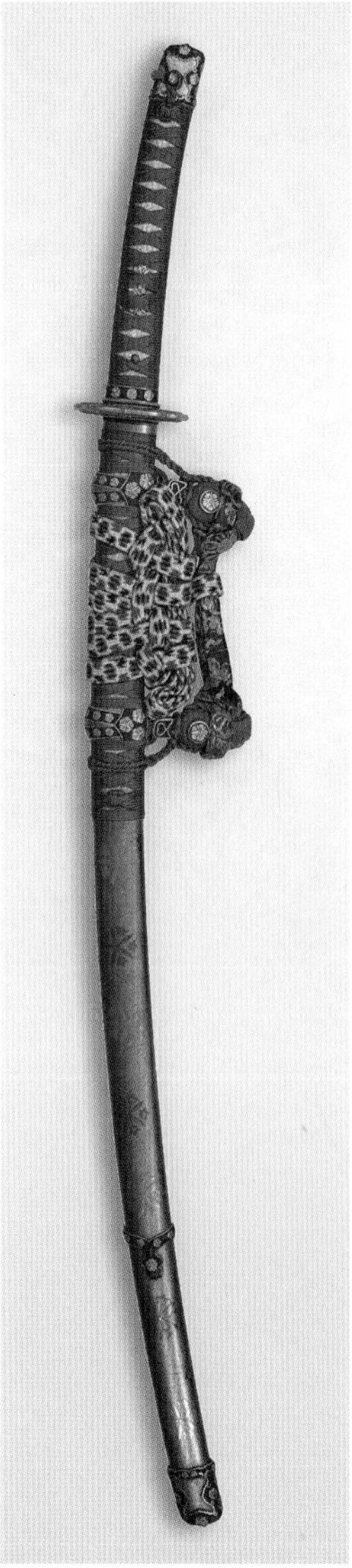

《太刀　銘　貞真／附　梨地笹龍膽紋糸巻太刀》(13 世紀，東京国立博物館蔵)

戦わぬ武士の腰にあってその魂と見なされ、しかし抜くことは禁忌ですらあった刀。相互確証破壊の論理によって、どれほど大量に溜め込もうが軍事的衝突の場で使われなかった核兵器。「国と国民統合の象徴」として君臨しながら、統治に介入してはならない君主。それらは本当に、「おかざり」なのだろうか。

参考文献

小笠原信夫『日本刀の鑑賞基礎知識』至文堂、一九八八年。

小笠原信夫『日本刀の歴史と鑑賞』講談社、一九八九年。

「特別展　京《みやこ》のかたな　匠のわざと雅のこころ」京都国立博物館、二〇一八年。

深井雅海『刀剣と格付け――徳川将軍家と名工たち』吉川弘文館、二〇一八年。

「特別展　神に捧げた刀―神と刀の二千年―」國學院大學博物館、二〇一九年。

音

音の祭り

奈良の冬の祭りは、私にとって「音」の祭りだ。

たとえば陰暦一一月二七日、現在では一二月一七日に行われる、「おん祭《まつり》」こと春日若宮おん祭は、奈良の暮れの風物詩として、長く親しまれてきた。奈良市街の東に位置し、御《み》蓋山《かさやま》や背後の春日山は、古くから神の山として尊崇を集め、天平勝宝八年(七五六)に東大寺の寺域を示すために制作された《東大寺《とうだいじ》山堺四至図《さんかいしいしず》》(正倉院蔵)には、春日山西腹に神地と記された場所があることが知られている。

神護景雲二年(七六八)、この地に春日社(春日大社)が成立。常陸の鹿島からタケミカヅチノミコト、下総の香取からはフツヌシノミコト、河内の枚岡からはアメノコヤネノミコトとヒメガミがやってきて本社に祀られた。その後、長保五年(一〇〇三)にアメノコヤネノミコトとヒメガミの御子神である若宮の神(アメノオシクモネノミコト)が生まれ、それから一〇〇年以上、いわば親元に同居していたのが、保延元年(一一三五)、若宮神の神託によって、本社と同じ規模の壮麗な若宮社が創建された。

若宮神が水にかかわる神秘的な姿で出現したこと、水徳の神とされ、若宮社の創建によって長く続いた大雨と洪水、疫病が鎮められたことなどがあり、その翌年から五穀豊穣、万民安楽を願う大和一国を挙げての祭礼として、九〇〇年近くにわたって続いてきたのが「おん祭」である。神事は七月から一二月まで続くが、そのクライマックスを迎えるのが一七日。

日付の変わる一七日午前零時を期して若宮本殿からお旅所《たびしょ》へと若宮神が遷幸《せんこう》、春日大明神が翁の姿で万歳楽を舞ったという由緒を持つ「影向《ようごう》の松」の前での「松の下式」を経て、お旅所では若宮神の行宮《あんぐう》の前に築かれた、約五間(九メートル)四方の芝舞台の上でお旅所祭が行われ、神楽《かぐら》、東遊《あずまあそび》、田楽、細男《せいのお》、猿楽、舞楽、和舞《やまとまい》など、数々の歴史ある芸能が奉納されていく。

搗き固めた土壇に芝を張った、「芝居」の語源でもある芝舞台には、風が吹けば雪も降る。午後三時半頃から夜一一時頃まで続く奉納芸は、管理された舞台公演とは、その長さや環境、そして受ける感覚までまったく異なる体験だ。這い上る寒気に手足を擦るうち、冬の日は瞬く間に傾き、宵闇が芝舞台を覆い始める頃には庭燎《ていりょう》が灯される。土壇の上では古代と変わらぬ烏帽子に白浄衣、白覆面で顔を隠した六人が、携えた笛と腰鼓に合わせて古舞の中でも格別に謎が多い『細男』を舞う。

南都楽所の舞楽『蘭陵王《らんりょうおう》』では、あまりに美男だったため、戦場へは獰猛な仮面をつけて出陣したと伝わる、中国・北斉の蘭陵王長恭《ちょうきょう》をモデルとした舞い手が、緋色の紗地に窠紋《かもん》の刺繡をした袍《ほう》、その上に毛縁の「裲襠《りょうとう》」と呼ばれる袖のない貫頭衣をまとい、金帯を締めて華麗に装い、手に持つ

春日大社おん祭のお旅所祭で奉納される『細男』

桴《ばち》で天を指す。頭上に輝く星辰と大地をつなぎ、縫い留めるかのような所作は、観る者の心までを貫くようだ。

音は、というと、率直に言って『細男』は盛り上がりに欠ける。笛に旋律はほとんどなく、腰鼓の単調な拍が繰り返される。点々とこぼれ落ちる音の行き交いの中を、浄衣の男たちが、袖で顔を隠すしぐさをしながら進み、また戻る。だがその、周囲の観客を盛り上げようという色気が皆無の所作——つまり神だけを相手にしているような——に相対しているうちに、いつの間にか人目を避けた神事を盗み見ているような気分になってくる。熱狂ではない、静かな高揚だ。

かと思えば、『蘭陵王』では当曲が半帖にかかり、篳篥《ひちりき》と龍笛《りゅうてき》で繰り返される旋律、その空隙を埋める煌びやかな笙《しょう》、打ち鳴らされる鼉太鼓《だだいこ》に、馬上から軍を指揮する様を写したとされる緩急豊かな舞がテンポアップしてくる頃には、縦ノリしたくなるほどに興奮が高まってくる。皇居内の宮内庁楽部で春秋に行われる定期公演や国立劇場の座席でかしこまって聴いてきた舞楽で、まさか縦ノリできるとは。

一五年ほど前だったろうか、初めておん祭に拝観した日は、西洋音楽に慣れ親しんだ耳と脳にはまるで異質なルールに則った楽《がく》(とも思えないような形態も含む)に、退屈を堪えながら身を浸す時間がひたすら続いた。もちろん雅楽や能にはそれなりの頻度で接していたが、あくまで「お勉強」の一環で、一〇代の頃に出かけたロック・コンサートとはわけが違う。だが日本の楽にチューニングを合わせるための長い助走を経た夜半、最後の演目に差しかかる頃には、「大和一国の盛儀」に沸き返った時代の人々の感覚に近づき、離陸——トランスに至るほどの熱狂に囚われていた。

お旅所祭がついに果てるのは、夜も更けた午後一一時近く。今回の核心はここからだ。若宮神は遷幸から二四時間以内に若宮の御殿へ還らなければならないとされる。期限の午前零時を目指し、若宮神はお旅所の行宮から出て、若宮の御殿へと向かう。遷幸と同じく出入りに関わる儀式は神秘とされ、周囲の目からは隠されるが、「その時」は参列する誰もがそれとわかる。一瞬のうちに境内地の人工照明がすべて消灯されるからだ。自動販売機から漏れる明かりに始まり、境内地を通る国道の信号機に至るまでの、徹底した「灯火管制」だ(国道には警官が立ち、人力で交通整理を行う)。春日の深い森に遮られ、近いはずの街の明かりも届かない祭りの場に、原初の浄闇《じょうあん》がよみがえる。先ほどまでの喧噪は一気に引き、人々はしわぶきも忘れ、息を呑んで若宮神の来臨を実感する。

二本の大松明《おおだいまつ》と神職が捧げる沈の香を先導に、榊の枝で十重二十重に囲んだ御神体を奉じ、神職たちの列がゆるゆると若宮社へ向かって動き始める。道楽《みちがく》の「還城楽《げんじょうらく》」を奏する楽人たちも伴をする。松明から散った火の粉と沈の濃い香りが浄めた道を、若宮神の行列が進む。参道には若宮神の還幸を見送る人々が並び、神職たちが発する「ヲー、ヲー」という警蹕《けいひつ》の声に、静かに手を合わせて頭を垂れる。

三年ほど前にご神縁をいただいて、初めてこの列の後尾に供奉する機会があった。参列者は事前に神職から注意事項などを聞き、若宮神への「奉仕」に参加する。取材では何度も間近におん祭を見てきたが、参列者となるのは初めてだ。難しいことはない。ゆっくり歩きながら、旋律もリズムもなく、ただ「ヲー、ヲー」という声を発し続けるだけ。意味のある言葉ではなく、歌とも違い、かけ声でもない。他の参加者と唱和するでもなく、道楽とハーモニーをつくるでもない。上手下手もなければ、先導する独唱者もいない。よく考えてみれば、そんな風に声を出したことなどなかった気がする。

幼稚園や小学校など、集団に所属するようになると、挨拶に唱和し、合唱の和音に心地よさを覚え、応援に声を合わせて団結し、と、声や音程を揃えることが当然とされる。だが若宮神に従う行列の「音」「声」となった時、私が意識していたのは、合わせることでも揃えることでもなく、ただ若宮神を覆う声の幕が途切れないよう、という一事のみだった。闇の中、松明の炎と沈の香り、そして言語以前の声とでも言うべき、地の底から湧くような音に囲われて、若宮神が還ってゆく。

列に連なって歩く間、周囲は文目《あやめ》も分かぬ闇に沈んでいるけれど、神職の浄衣の白さが目印となり、道を失うことはない。私という人間の輪郭は曖昧になり、音として響くだけの存在となって、影のように若宮神に従ってゆく。そして日付が一八日に変わる頃、神事も終わりを告げ、私たちは夢でも見たような気分で、三々五々家路を辿る。春日の神域から一般道へと出る道にはほとんど明かりもなく、懐中電灯の用意がなければ、枝の隙間から落ちる星明かりを頼りに歩くしかない。その年は月もなく、頼りない星の光で足下に落ちる影を見て、自身の姿かたちを再確認しながら、深更に宿へと帰り着いたのだった。

もう一つの「音」の祭りは、東大寺二月堂での修二会だ。神亀五年(七二八)、聖武天皇の皇太子で、夭逝した基親王《もといのしんのう》の菩提を弔うために建立された金鍾山寺《きんしょうさんじ》を前身とし、華厳経の教理の下に国家の災害・国難を消除し、国家の安寧と国民の幸福を祈る総国分寺として、天平勝宝四年(七五二)の

春日若宮御祭礼絵巻物上巻「遷幸の儀」(17世紀，春日大社蔵)

「大仏開眼供養会」をもって成立したのが、東大寺だ。修二会はこの東大寺を代表する行法で、三月一日から二週間にわたって行われ、奈良に春を呼ぶ節目として親しまれている。

前年の一二月、二月堂に参籠する練行衆《れんぎょうしゅう》が決まるところから始まり、初めて参籠する僧侶がいる場合なら、声明《しょうみょう》の節や所作の「試験」をする二月一二日の新入称揚習礼《しんにゅうしょうようしゅらい》、一八日は修二会で灯明に使用する菜種油の油はかり、二〇日から別火《べっか》と呼ばれる前行が始まり、三月一日から一四日まで、二七ヶ日夜(二週間)の間、二月堂において修二会の本行が勤められる。メディアでは、二月堂に上堂する練行衆の道明かりとして灯される「お松明」ばかりが取り上げられるが(特に一二日は練行衆一一人全員が上堂し、一一本の「お松明」が上がることから、この日の様子が報道されることが多い)、期間も長く、複雑なプロセスから成る行法なのだ。

私が足を運ぶのは、本行が最終盤を迎える下《げ》七日《しちにち》の三月一二、一三、一四日のうちの一夜だ。最初に修二会をご案内いただいたのが、江戸時代より京都に続く染色工房の五代目当主であり染色史家、そして修二会で使う椿の造り花のために和紙を染めて納めていた吉岡幸雄さんだったため、吉岡さんの「恒例のスケジュール」が、私にとっても「恒例」になってしまった。

練行衆の上堂(お松明)の様子を二月堂下から見上げ、巨大な松明から降り注ぐ火の粉を浴びた後、我々俗人も二月堂内へ参入する。行法が修される二月堂内陣は、中央須弥《しゅみ》壇《だん》に本尊の十一面観音像(一体は「大観音」、もう一体が「小観音」と呼ばれる)が安置され、いずれも絶対秘仏とされている。修二会に関わるさまざまな作法はこの周囲で行われ、練行衆以外は一切立ち入ることができない。内陣の外側は一間幅の外陣が囲み、外陣のさらに外側には東西南北に仕切られた小部屋「局《つぼね》」があり、修二会の際には畳を敷いて聴聞の席となる。「聴聞」と書いたが、外陣まで入れる男性は、作法の次第をある程度目で「見る」ことができる。だが女性は格子で仕切られた局までしか参入を許されないため、内陣の様子はほぼ見えないに等しい。午後七時以降に始まり、日によっては午前三時頃まで続く「六時の行法」を、内陣で時に爆《は》ぜ、揺らめく炎だけがわずかに照らし出す局の中で、女性たちは響いてくる大小さまざまな音に全感覚を傾けて、まさに「聴聞」する。

現代の修二会では、立錐の余地もなく詰めかけた人々の間に座ったまま時間を過ごすが、その時私は、『枕草子』の第一一六段、清少納言が清水寺に参籠した時のことを記した一節を思い起こしていた。

夜《よ》一夜《ひとよ》ののしり行ひ明かすに、寝も入らざりつるを、後夜《ごや》など果てて、少しうち休みたる寝耳に、その寺の仏の御経を、いと荒々しう尊くうち出で読みたるにぞ、いとわざと尊くしもあらず、修行者だちたる法師の蓑うちし着たるなどがよむななりと、ふとうち驚かれて、あはれに聞ゆ

清水寺では夜通し勤行の声が満ちあふれている。眠り足らず、うとうとする清少納言の耳を打つのは、寺の本尊の経を荒々しく、尊く唱える修行者の声だ。寺には常住せず、山野を行き来する野の聖の、取り繕うところのない読経の声が、しみじみと「あわれ」の情を引き寄せるのだと。

局で読経に耳を澄ます清少納言を気取ってみたが、同じ十一面観音を本尊とするのでも、修二会

の祭礼は「あわれ」とは方向性が違う。初夜の正七時、「奈良太郎」と通称される天平の鐘から響き渡る鐘声をもって始まり、行道する練行衆が踏みならす沓音《くつおと》、振鈴《しんれい》、声明、五体投地で打たれる厚板の発する打撃音、法螺貝の吹き合わせ、神名帳・過去帳・加供帳《かくちょう》の読み上げなど、楽器を用いた音楽、拍子木や錫杖《しゃくじょう》、念珠など楽器以外のものから発される音、僧侶のさまざまな声が織りなす、「音」の典礼とも言える。そしてその音は、私たちがイメージする「日本的」な仏教の法会を遥かに凌駕し広がる、異国的、あるいは異教的(よく指摘されるのは拝火教的な要素)なページェントなのだ。行法の全体像はとても本稿で書き切れるものではないので、ご関心のある方は柴田南雄「音楽典礼としての修二会」、ローランス・ベルチェ・カイエー「『音』と修二会」(『東大寺お水取り――二月堂修二会の記録と研究』小学館、一九八五年)を参照されたい。

とりわけ印象的なのは、松尾芭蕉も「水取やこほりの僧の沓の音」と詠んだ、練行衆の履く沓(差懸)が踏み鳴らす音だ。「踏むこと」が、死霊を地下に封じ込め、その代わり大地に潜む若く新しい、威力ある神霊を呼び起こすものだ、と最初に説いたのは折口信夫だが、修二会に錯綜する音についても、多くの研究者がこの説を採っている。湧き上がる音が、衰えた冬の力を祓い、新しい春の生命力を呼び覚ますのだと。

神事・行幸・舞楽・競べ馬などを始める時に演奏する雅楽の曲を「乱声《らんじょう》」と言う。「笛・太鼓・鉦などを急テンポで拍子にとらわれずに鳴らすので、旋律が重複してせわしく乱雑に聞こえる」(『全文全訳古語辞典』小学館)ところからの命名だが、「鬨《とき》の声。また、太鼓や鉦などの乱打と共に鬨の声をあげること」もまた「乱声」だという。騒音は通常、秩序と調和を前提とする音楽とは別ものとして扱われる。だがレヴィ＝ストロースは空間及び時間の移行に際して醸成される騒音を、「宇宙論的亀裂」と名付け、たとえばＮＹのタイムズスクエアで、大晦日から新年を迎えるに当たって自動車が鳴り響かせるクラクションを、時間経過の民俗として論じている。冬を振り払い、春を呼び込もうとする修二会の場に鳴り響く音も、秩序と混沌の境界を仲介する記号——乱声の一種というわけだ。

このような「準騒音」に分類できるものとして山口昌男は「隼人の吠声《べい》」を挙げる。「朝廷の正月元旦の大極殿における大儀、大嘗祭の翌日などには天皇に挨拶をした。この時の警蹕の声が吠声と呼ばれ」(「日本の神話・儀礼テキストの中における騒音」『岩波講座　日本の音楽・アジアの音楽4　伝承と記録』岩波書店、一九八八年)、石清水八幡宮の神輿がお旅所に入るときの「ケー、ヒ」という声、天皇の食事の際に発される「オシ」の声なども同様の現象だという(高取正男「神霊示現の音と演出」、守屋毅編『祭りは神々のパフォーマンス——芸能をめぐる日本と東アジア』力富書房、一九八七年)。なるほど、先に挙げた春日若宮おん祭の警蹕の声も、同様に考えられるだろう。

こうした「乱声」の伝統が歌舞伎の「化粧声」につながる、と書いたのは、郡司正勝だ(『かぶき袋』青蛙房、一九七〇年)。化粧声とは、「《暫《しばらく》》《対面》など荒事の主役が動作する間、居並ぶ端役らが「アーリャ、コーリャ」、きまってから「デッケエ」と斉唱する一種の褒め詞」(『歌舞伎事典』平凡社)で、もとは観客がかける褒めことばであったという。

「乱声と警蹕の相違が明らかにならないという印象を与えるかも知れないが、この両者は神、若しくは貴人の出現又は境界を音声によって表現するための手段である。警蹕の方が音声の面に固定されているが、両者ともに基本的に非音節言語及び騒音的要素を基調としている。つまり時間又は空間の境界的な面を強調するために発される音声である」(山口、前掲書)

厳格な沈黙もこの世ならぬ時空の出現を知らせる営みであろうが、かざりというからには、「ない」ことではなく、「ある」ことで成立するものに注目したい。近世の歌舞伎に現れる「化粧声」という語が端的に示すように、音もまた、現世や日常とは異なる、聖なる時空・存在の到来を示し、あるいはそれ自身によって変貌を引き起こす、「かざり」の機能を備えているのだ。

螺鈿
本質としての表層

漆黒のスクリーンの中に、緑色の光を帯びて明滅する数字が溢れ、こぼれ落ちていく。押井守監督のアニメーション映画『GHOST IN THE SHELL／攻殻機動隊』(一九九五年)や、ウォシャウスキー(姉妹)監督のSF映画『マトリックス』(一九九九年)によって送り出されたサイバースペースのイメージは、今や地球規模で共有される「世界観」といってもいい。あるいは光を吸いこむ黒々とした四角柱としての「モノリス」(『2001年宇宙の旅』一九六八年)、軍艦の戦闘情報中枢(CIC)や米国航空宇宙局(NASA)管制室などをモデルとする、情報がリアルタイムで集約されるスクリーン・モニター群など、マンガ、アニメ、ゲーム、映画などさまざまなメディアを通じてつくり上げられてきた「未来」や「テクノロジー」のイメージは、現実と同じだけの存在感をもって、私たちの視覚世界を支えている。

この連載で取り上げてきた工芸や祭礼とは、一見縁がなさそうなモチーフだと思われるかもしれない。だが、たとえば宮内庁式部職楽部に属し、皇室の神事に奏楽を担当する楽人であっても、街角やたまたま入った喫茶店などで、聞くともなく耳にする音楽のほとんどが、西洋起源のものだ。演奏活動にしても、宮中晩餐会の折には楽器を持ち替え、クラシックの楽曲を奏でるオーケストラに変じる。いくら師から弟子へ一対一で教育を行い、秘伝を口承で伝えようと、明治以前の音階や拍から決定的に変わってしまった世界に生きる以上、その感覚はかつてと同じではいられないといぅ。

伝統工芸品の制作者や購入・使用者も、『源氏物語』や『古今和歌集』は生活の背景ではもはやなく、教養としての学習対象であって、息をするように自然に摂取してきたのはアニメにゲーム、というケースは珍しくない。ただそれはそれとして、作品制作に当たっては歴史的に継承されてきた意匠を踏襲するのが当然だと考えられてきた。ところが、である。

微細なアラビア数字や集積回路を思わせるラインの交錯が、緑から赤紫、青紫へと玉虫の翅《はね》のような光を帯びてその表面に瞬く、黒い立方体《モノリス》――。二〇一九年九月、日本橋高島屋美術工芸サロンで開催される漆芸作家、池田晃将の五年半ぶりの個展「電光装飾―Cyber Effect―池田晃将漆芸展」についての、SNS(Twitter)への画像付き投稿がみるみるうちに拡散、「カッコいい」「見てみたい」など興奮も露わなコメントと共に、九〇〇〇件近いリツイート、約一万四〇〇〇件のいいねがついていくのを、投稿者である私は半ば呆然と見守っていた。

正倉院以来の長い歴史を持つ漆芸の一ジャンル「螺鈿」は、材料は稀少、工程も複雑で、必然的に高額にならざるを得ない。現代でも茶道具や高級食器、家具などがつくられているものの、日常

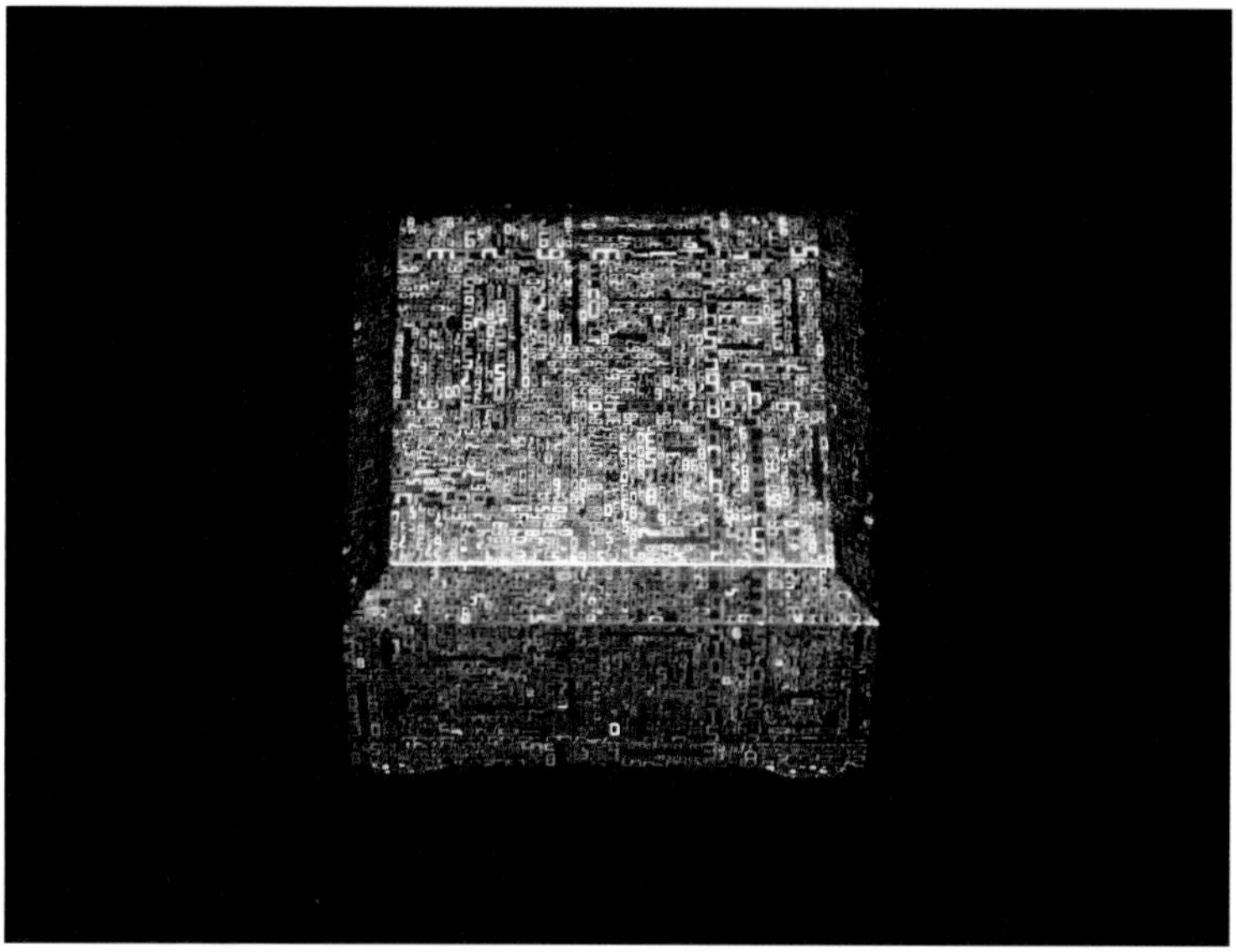

池田晃将《百千碁盤目飾箱》

生活の中で出番の多い器を中心とする、いわゆる「生活工芸」のように、一般の人が手にする機会は少ない。そんな敷居が高い、感覚が古い、日常から遠いと思われてきた工芸が、現代の私たちに近しいSF的なイメージをまとっている。この巨大なギャップが、多くの人の琴線に触れたらしい。出展作品は初日に完売。日頃静かな高島屋の美術工芸サロンには連日記録的な数の、それも若い世代の観客が訪れ、細部を喰い入るように眺め、写真を撮って帰っていった。

連載のテーマを「かざり」と定め、延々と贅言を書き連ねてきた身として、たとえばありがちな装飾＝表面的、という定義に対しては、あまりに安直に過ぎるともの申したくなる。そして何らかの支持体、ボディがなければそもそも成り立たず、その表面の薄膜一枚を操作する漆工芸は、「表面的」という言葉がドンピシャで当てはまってしまうところに、宿命的な縁を感じずにはいられない。

結髪をテーマとした第一一章で、石川県七尾市の三引遺跡から出土した縄文時代早期(約七二〇〇年前)の漆塗櫛について触れたとおり、日本における漆利用の歴史は古く、縄文時代まで遡る。現時点で知られている限りもっとも古い漆製品は、北海道函館市の垣ノ島B遺跡から出土した縄文時代早期、約九〇〇〇年前のものと推定される装身具で、赤漆が塗られていた。ウルシ材に限れば、福井県の鳥浜貝塚から縄文時代草創期(約一万二六〇〇年前)のものが発見されているほか、漆液を接着剤として、石鏃(石製のやじり)や土器の補修に利用した例も多数あり、縄文の人々の生活に長く、そして広く浸透していたことがわかっている。一方中国で発見された最古の漆製品は、浙江省・跨湖橋《ここきょう》遺跡出土の木製品(弓か?)で、七六〇〇年前のものと推定されている。

とかく中国を淵源としておけば間違いない工芸の素材・技術だが、漆についてはは簡単にそうとも言い切れないらしい。考古学、生物学両面からの研究は未だ途上にあり「縄文時代草創期あるいは最終氷期の晩氷期にウルシが日本列島に存在していたことは事実として、元々ウルシはどこにあって(元々の天然分布)、いつの時代のどの地域で、どの人達がこの木に気づき、いつ漆利用技法と文化が生まれたのか、そして植物としてのウルシと漆液採取・利用の技術と文化がいつ、どこに、どうやって、どう広まったか、については未だ解明されておらず、更なる研究の積み重ねが必要である」(鈴木三男・能城修一・田中孝尚・小林和貴・王勇・劉建全・鄭雲飛「縄文時代のウルシとその起源」『国立歴史民俗博物館研究報告』第一八七集、二〇一四年)とされている。

「最初」はともかく、螺鈿を含む高度な漆工芸の技術が日本へもたらされるのは、飛鳥時代のこと。中国で発展した技術がまずは朝鮮半島を介し、やがて遣唐使などから直接に伝えられた。古代中国で漆工芸が発展したのは、戦国(紀元前四〇三―前二二一年)・漢(前二〇六―後二二〇年)時代である。馬《ま》王堆《おうたい》漢墓に代表される湖南省の長沙《ちょうさ》周辺からは、夥しい数の漆器が出土。弓、箭《や》、刀鞘、楯などの武器類から、盤、耳杯、勺といった飲食器、奩《れん》(蓋付き容器)、硯箱、案などの調度・文房具、琴、笛といった楽器まで、その利用範囲は非常に広範にわたる。多くは朱と黒の漆を用いた漆絵の技法で塗り分け、あるいは朱漆で文様を施したもので、なかには黄、緑、青など鮮やかな彩漆を用いた例もある。その後の戦乱の時代には低調になるが、唐時代(六一八―九〇七年)に至って漆工芸は鮮やかに花開いた。漆を塗っただけの簡素な無文漆器が市井の人々の生活を支えるものとして製作される一方、螺鈿(ヤコウガイやアワビなどの貝殻を薄く剝ぎ取り、研磨して一定の厚さにしたものを文様に切り整え、木地や漆地に貼りつけて装飾する技法)、平脱《へいだつ》(金、銀、錫《すず》、真鍮などの薄板を文様に切り整え、漆面に貼る。さらにその上に漆を塗り、文様が表面に出るまで研ぎ出したもの。平文とも呼ぶ)といった象嵌技法を自在に駆使した華麗な作品が数多くつくり出された。

もはや正倉院にしか伝世していないものも含め、乾漆、漆皮、平脱(平文)、螺鈿、赤漆、密陀絵《みつだえ》、末金鏤《まっきんる》など、日本へもたらされた唐時代の漆工芸の技術の高さ、作品の華麗さには、目を瞠るものがある。とはいえそれら技法のすべてが後世に伝承されたわけではなく、途絶えてしまったものも少なくない。以降日本では、その時々で中国から新しい技法や意匠を受け入れ、調度や食器、武具、建築の装飾まで、幅広い用途・階層で、漆工芸が活用されていくのだが、今回は螺鈿に絞って話を進めたい。

螺鈿とは先に書いたとおり、貝殻の真珠層を木地や漆地に貼りつけて装飾する技法を示す。さらにその中に、地を文様の形状に彫り下げて貝を埋める、平面に貼って漆地で埋め込む、貝の裏に金箔を貼る／墨を塗る、砕いた貝を漆地に蒔きつける、など多彩なバリエーションがある。このように貝で器物を飾る事例は古くから世界各地で見られ、中国では唐時代に、エジプトや西アジアで発達した木画(木工芸の加飾法。木地に模様の形を彫り込み、木、竹、あるいは象牙や鼈甲などを嵌め込む、あるいは表面に貼る)の技法が伝わり、その多くが日本へももたらされた(多数の遺物が正倉院に残る)。

日本ではその後、平等院や中尊寺金色堂など、平安時代後期の寺院堂内でヤコウガイを素材とした厚貝《あつがい》螺鈿(約一ミリ程度の厚みの貝を使う技法)の装飾が盛んに行われ、鎌倉時代にかけては武器や馬具の装飾にも優れた作品が遺る。平安から鎌倉にかけては精密な文様が盛んに用いられたが、現在使われている金属製の糸鋸では小さな貝片が割れやすく、同様の文様を切り出すのが難しいという。

螺鈿は、漆面の文様部分を彫り下げて貝を嵌め込む彫込《ほりこみ》法と、貝を下地に貼りつけてから漆で塗り込める塗込《ぬりこみ》法のいずれかで仕上げる。彫込法は木地、下地、漆地と塗った上から、貝の厚みと漆表面がちょうど同じ高さになるまで彫り下げ、貝を麦漆や漆糊で接着。塗込法は文様に切り抜いた貝を下地に貼り、貝の厚み分の漆塗りを繰り返して貝を漆で覆い、その上から炭で研いで貝の表面を露出させる。

池田さんが工芸に関心を持ったのは高校生の時だという。ネパールの首都カトマンズに、建築の修復・保全のボランティア活動で訪れた際に目にした歴史的建造物がきっかけとなった。これらの建造物はマッラ王朝(一二〇〇―一七六九年)、ゴルカ王朝(一五五九―二〇〇八年)を築いたネワール族によるもので、ユネスコの文化遺産目録は八八八棟をリストアップ。木造・煉瓦造を併用した構造形式や、窓枠や窓格子などの外壁、室内装飾に稠密《ちゅうみつ》な木彫を多用することなどが特徴として挙げられる。この木彫に魅了されたのだ。

宗教は身近にあったものの、現代的なベッドタウンに生まれ、大量生産品に囲まれて育ち、装飾的な工芸とは縁の薄かった池田さんは、「権力や神が装飾を生み出す」こと、そして自分が建造物の表面を覆う装飾に抗いがたい魅力を感じていることに気づいた。父が仕事としていたことから、それまで将来の仕事としてぼんやりとイメージしていた「設計」は、建造物のディテールとは関わりが薄い。そこで木彫を学ぶために進学した美大は、輪島塗や山中塗など漆器産業を抱える土地柄ゆえか、「漆・木工」のコースを用意していた。ネワール建築のような装飾的な木彫を目指していた池田さんが、より「表層的」な漆工芸と出会うのは必然だったとも言える。さらに在学中の二〇一二年、金沢21世紀美術館での「工芸未来派」展に出展された見附正康(赤絵)や青木克世(セラミック)、雲龍庵／北村辰夫(漆工芸)らの高度な技術、どころか技法そのものが作品を生み出す原動力、コンセプトになり得ているさまに衝撃を受ける。大学院修士課程を修了後、金沢市が工芸作家を支援・育成する金沢卯辰山《うたつやま》工芸工房在籍中、数字で埋め尽くした螺鈿、というモチーフにたどり着き、東京のギャラリーからも声がかかるようになった。

池田さんは在学中から、海外へ出るたびにアンコール・ワットの寺院群やバクタプルの寺院群、あるいはケルン大聖堂など、各地の宗教建築を集中的に観て回っていた。崇められる神の名は違えど、空間に聖性を顕現させるための手段として、細密なディテールの整然とした集積が人の心を動かし、一つ一つのピースの精度が高いほど、それが集積されたときの強度は強くなる。この前提を踏まえた上で、彼が生きる世代のリアルな美意識としてサイバーパンク的なモチーフを選び、螺鈿技法の限界を極める精度で作品化しているのだ。

池田さんが使う貝片はオーストラリア産の大型のアワビから採ったもの。古くは煮貝法といい、貝を三―一〇日ほど煮て、真珠層を薄く剝がす方法が用いられた。現在では真珠層を残して貝殻表面の石灰質を削り、薄く平らになるまで砥石で水砥ぎする「摺貝《すりがい》」の手法でつくられている。こう

同じく《万雷絡繰図飾箱》

した螺鈿用の材料加工を行う職人は日本にもいるが、細かい仕様の調整は難しい。そこで彼は韓国から、〇・〇八ミリに調整したシート状の原料を仕入れている。

この原料から、貼りつける文様の形状に貝片を切り抜かなければならない。池田さんの場合は形状が複雑でサイズも小さいため、まずその輪郭に沿って、レーザーでシートに小さな孔を打ち抜いていく。これを超音波洗浄機の洗浄槽に浸し、槽内の水に超音波で気泡を発生させると、気泡が破裂する際の衝撃波によって、プラモデルの部品をランナーから外すように、割れも欠けもなく数字がバラバラになっていくのだ。

支持体は蓋と身に分かれた、木地の蓋物だ。棗や香合という、茶道具としての器種を名乗る場合もあるが、多くの場合は内部に空洞を持つ開閉可能な箱、という最低限の機能だけを担保した、オブジェとも道具ともいえる境界的な形状を選ぶ。さらに3Dプリンターとは逆に、素材を削って複雑な形状の立体物をつくりだすCNC加工機を導入し、支持体の形状を従来の蓋物という常識から解き放とうとしている。それでいて、木材そのものは十分に枯れ、蓋と身の合わせがずれるといった経年変化の少ない、良質な古材を吟味して確保している。

この器体に下地と漆を塗って貝片を貼り、さらに漆を塗り重ねてから貝の表面と漆の層とが面《つら》イチになるよう研ぎ出す、という工程がある。彼自身が「ほとんどの時間はひたすら磨いています」と苦笑するとおり、螺鈿の制作工程では、研ぎの段階に膨大な時間と工数を要する。そのため現在は、漆工芸を専攻する美大生六人ほどがスタッフとして関わっている。

研ぎは最終的に、貝片が形を保てる限界の〇・〇五ミリに着地するよう仕上げていく。〇・〇五ミりとなると向こうが透けるほどの薄さだが、貝の真珠層は、無機結晶層部分（炭酸カルシウム）とタンパク質が一ミリの間に二〇〇〇枚（〇・〇五ミリであれば約一〇〇枚）の層を成す、強靱な積層構造を持つ。また炭酸カルシウムは白色を呈するため、これをなるべく薄くしておくことで、漆の黒の上に置いたとき無色透明に近づき、貝片の物質としての存在感がほぼ消える。その上で、構造の表面に光が当たると生じるピンク色の干渉色（有機質に含まれる微量の色素の影響で、緑や黄などの色も呈する）のみを装飾として利用しよう、というのが、薄貝技法の核心だ。

無垢の暗黒の上に揺らめく光。ホログラムのように立ち上がる、物語の断片たち。ともすれば虚空へ漂い出そうとするイメージを、その際《きわ》で物象につなぎ留め、「ないのに、ある」存在として成立させる、螺鈿という技法の妙。一ミリにも満たない表層の薄膜であるからこそ、そこに気が遠くなるほどの執念をもって集積された技術と時間、イメージは、見る者の心に抑えがたい感情を掻きたてる。

冒頭に古典技法を駆使した工芸が、SF的なイメージをまとうことのギャップ、と書いた。確かに技法は古典的だ。だが観る者の共有するイメージが時代によって異なるだけ、とも言える。たとえば殿舎や庭園の景の中に、『源氏物語』第二三帖「初音」で明石の上が詠んだ和歌、「年月を松にひかれてふる人にけふ鶯の初音きかせよ」の文字、さらに松と鶯のモチーフを散らした蒔絵として表された、かの《初音の調度》について、当時の誰もが説明されるまでもなく、徳川将軍家の姫の嫁入り道具にふさわしい、と感嘆の溜息を吐いたことと、まったく異なるところはない。その「同じ」さ加減もまた、私たちの遠近の感覚を狂わせ、眩暈を引き起こす。

光や電気信号を操作するテクノロジーや、これらに触発されたSF的なヴィジョンは、物理的に手で触れることの叶わない、いわば「あるのに、ない」ものだ。それが極限の薄膜――まさに虚実皮膜の上に、物象としてつなぎ留められている。物質とイメージとが幾重にも重なった層を透かして見える、幻のようなヴィジョンをまとった器体の内は虚《うろ》。表層こそが本質であり、すべてなのだ。

参考文献

荒川浩和編『日本の美術一六三号　漆と漆絵』至文堂、一九七九年。
小松大秀・加藤寛『漆芸品の鑑賞基礎知識』至文堂、一九九七年。
四柳嘉章『漆の文化史』岩波新書、二〇〇九年。

水引折形

水引に張りつめる力

一九九〇年代に私が通った東京の郊外にある大学では、中元・歳暮時になると、某百貨店が学生をアルバイトとして、まとめて臨時雇用していた。一〇日間ほどだったろうか、連日大型バスで作業場まで連れていかれ、熨斗紙と包装紙、プラスチックの結束バンドをかける機械を操作しながら、お茶だ海苔だビールの詰め合わせだと、異なるサイズ・重量の箱を次々と包装していった。店頭では今でも、そのようにオーダーすれば、腕利きの店員が名人芸を発揮して、皺なくぴしっと包んでくれるはずだ。だが二〇世紀も終わろうとしていたその時期、世間の趨勢は簡易包装へと雪崩をうって変わりつつあった。

猪熊弦一郎デザインの包装紙は、箱全体をくるむのではなく、腹巻きのように外箱の中央部に回し、箱裏側にテープで留める。その下にははみ出さないよう、白い紙に紅白の水引と熨斗を印刷した、包装紙よりひとまわり小さい熨斗紙がかけられている。なるほど確かに「簡易」だが、それにしても省くわけにいかない記号というものがこの社会にはあるのか、と大学生の私は手を動かしながらぼんやり考えていた。そしてなんだか冴えないやり方だな、とも。これが水引(記号)との最初の遭遇だ。

そして今日、贈答文化を面倒だとは思いつつ、さまざまなしがらみで完全に放棄することもできていない。ただ風呂敷や包装紙などは嫌いではない、どころか、積極的に好きだと断言できるから、ここぞという慶事弔事の折には、銀座の鳩居堂で好ましい熨斗袋を買い、(情けないが)筆耕担当の店員に表書きまでしてもらう。……のだが、その扱いに無知だった頃は、おっかなびっくり水引を外して中包みに新札を納め、やれやれこれで準備完了、という段で、かけ戻そうとした水引をうっかり折ったり曲げたりしてしまい、脱力して倒れそうになったりもした(祝儀袋は水引を外さずに後ろを抜き、お金の入った中包みを上から入れる)。

水引とは、「紙捻《こより》の半分を赤や金・銀に装飾して、進物などの包み結びの紐としたもの」(鈴木敬三編『有識故実大辞典』吉川弘文館、一九九六年)。通常は真ん中から赤白《あかしろ》に染め分けたものを用いるが、凶事には青白・白が、また恐らくは明治以降、金銀や金赤なども用いられるようになった。結ぶときは向かって右を赤(金)、左を白(銀)、祝儀には結留《むすびとめ》、弔事には結切《むすびきり》など、地域や時代ごとにさまざまな定めがある。

かつては「和紙を縦に細長く切って紙縒《こより》をつくり、米のとぎ汁や糊を薄めた液に浸け、手巾で引き絞って日に干して固める」(『日本大百科全書』小学館)というプロセスでつくられていたが、現在ではほとんどの工程が機械化されている。これら量産品の水引は、パルプを原料とした機械すき和紙を約二センチ幅のテープ状に裁断。水分を与えて「撚り機」で紙縒状にする。それから直接着色したり、あるいは糊付けしてフィルムや飾糸を巻いたりした後、乾燥、裁断して仕上げる。長さは三尺(約九〇センチ)、二尺(約六〇センチ)などさまざまで、太さは概ね一ミリ程度。紅白に染めた生水引(第一次製品)、結びを施して金封にかけるなど、平面的な意匠に加工したもの(第二次製品)、立体的な鶴亀などの結納品や水引人形などの工芸品(第三次製品)に分けられる。

今や駅のキオスクやコンビニエンスストアなどでも、水引のかかった、あるいは印刷された簡易な金封は常備されており、広く、一様に普及している。だがその起源については判然としない。

現在、水引生産の主力である二つの産地のうち、長野県飯田市の飯田水引プロジェクト(飯田商工会議所)は、「水引は、六〇七年(推古期)に隋国に渡った遣隋使小野妹子が帰朝の際、帰途海路の平穏無事を祈願して、献上品に紅白で染め分けた麻ひもを結んで日本へ持ち帰ったのが始まりとされています」、愛媛県四国中央市の伊予水引金封協同組合は「飛鳥の時代、聖徳太子の命を受け隋(現在の中国)に渡った小野妹子が日本に帰る際、隋からの贈り物に「くれない」という麻を紅白に染め分けた紐状のものが掛けてあったと言われています。これは帰路の平穏無事を祈願すると共に、贈り物が真心のこもった品物である事を表わしたと言われています」としており、(飯田水引プロジェクトのテキストは主述の関係がわかりにくいが)多くのテキスト、ウェブサイトが、日本の遣隋使に対して中国側から下賜された贈答品にかけられていた紅白《こうはく》の紐が水引の起源だとする説を紹介している。

贈答品にかける紐状の水引が記録の上にはっきりと姿を現すのは、一六世紀のこと。歌学、古典学の碩学を歴代輩出してきた公家・三条西家《さんじょうにし》の三条西実枝《さねき》(一五一一―一五七九年)が著した有職故実書『三光院内府記』(別名『三内口決』)に「水引結物事」の項があり、室町時代末期の公家の間での使用例が記されている。こうした資料などから、おおよそ室町時代頃から贈答用の進物に白紙をかけ、紙縒の水引で結ぶ礼法が盛んになり、江戸時代には細い水引糸を数本まとめて紐として使うようになっていったらしいことがわかっている。ただし現在の水引産地に中世まで遡る地域はなく、いずれも起源を江戸時代に持つ。

水引の話ばかりを先にしてしまったが、紙縒の需要の多くはまず、髪の根を結い束ねるのに用いる「元結《もとゆい》」にあった。古くは麻糸、組紐などを用いたが、近世になると紙縒を用いるようになる。「量産による実用元結が売品として文献に見られるのは、一六七九年(延宝七)刊《都独案内》で、〈もとゆひ　四条寺町東へ入、けんにん寺町三条下ル町〉と記され、一七世紀の末には京都に専門店があった」(『世界大百科事典』平凡社)とする。

豊富な水と、地元の楮、三椏を使った丈夫な飯田台帳紙をつくっていた飯田では、飯田藩主堀親《ほりちか》昌《まさ》の殖産興業政策の下、一六七二年から元結生産を始めた。元結ほどの強靭さを求められない水引は、製造中にはね出された下等品を使ってつくられるようになったという(その後水引製造を独占する組合が結成された)。明治維新後、一八七一年の断髪令で元結の需要は激減したが、水引についてはむしろ増加、大正時代には技術の向上に伴って、地域の有力な産業に成長する。だが昭和に入ると、水引の原紙をつくる工場が引き起こす公害が問題になり、原料の生産は、和紙の大生産地でも

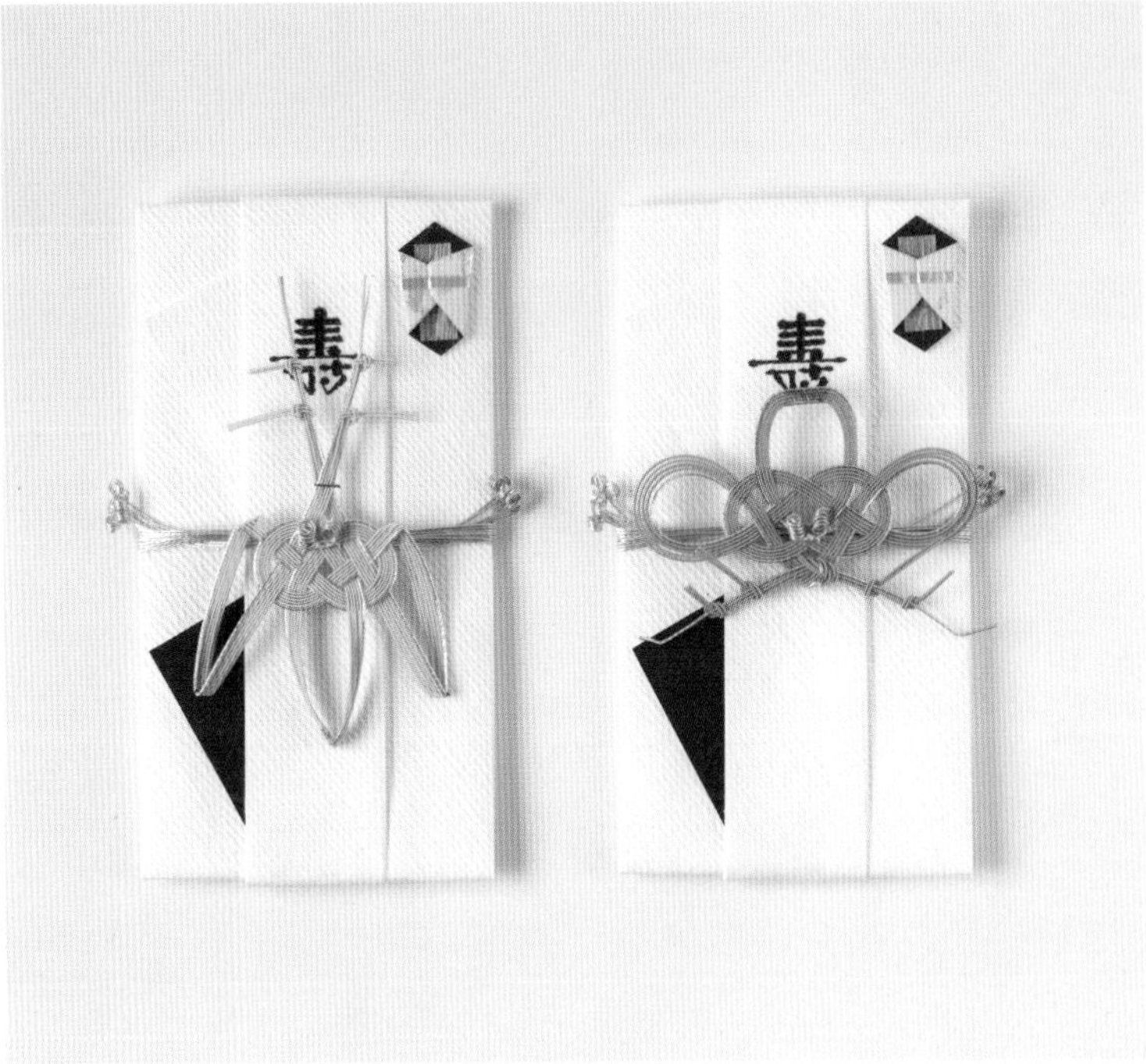

津田水引折型製作の，松(右)，竹(左)の水引をかけた金封

あった愛媛県伊予地方に依存するように。やはり江戸時代の元結製造から水引へ転換するという、同じ道をたどった伊予の技術向上もあり、両者でシェアを分けあうようになった。

それでも皇室で用いる、たとえば二〇一九年の即位の礼にも関連して使われた「紅水引」は、現在も飯田で製造されている。飯田市にある木下水引株式会社では、長い白水引を屋外にまとめて張り(稲をかけて乾燥させる工程・道具と同様、「はさ掛け」と称する)、その半分にまず黒い染料を刷毛で引き染めにし、続いてその上から再度、紅を引き染めにする動画を公開している(https://mizuhiki.co.jp/2020/06/02/%E7%B4%85%E6%B0%B4%E5%BC%95/)。こうしてできあがった水引は、一見黒白に見えるが、近寄って見れば玉虫色を呈し、触れれば赤色が手につく水引となる。第四章「赤の蕩尽」で、紅花の赤い色素を塗り重ね、濃度を上げていくことで構造色の玉虫色を発する「笹紅」を紹介した。より簡易には、黒の染料を下塗りしてから紅を塗るという化粧法が、江戸時代にもあった。あるいは絹を深く濃い黒色に染めるにあたって、白生地をまず紅で染め、その後に黒で染める「紅下黒《べにしたぐろ》」の逆、とも言える。だがいずれにしても、生活習慣の変化や海外の低価格商品の流入など、水引を巡る環境は厳しさを増しているという。

祝儀用品や贈答文化が縮小しているであろうことは容易に想像できるが、ではそれがいつ始まったか、というと、実はそう昔のことではない。私自身は高度経済成長末期あたりからだろうかと想像していたが、祝儀用品の製造品出荷額がピークに達するのはバブル景気が崩壊する一九九二年。「日本における祝儀用品の製造品出荷額の推移を見ると、データの存在する一九六〇年代から拡大を続け、一九九二年には三一五億円に達した。しかし一九九〇年代からの景気低迷のほか、伝統的な水引の需要減少、さらに技術移転した中国から安価な水引が大量に輸入されるようになったことなどを背景に出荷額は減少に転じ、近年では一〇〇億円程度と、ピーク時の約三分の一となった」（淡野寧彦・井坂万由「愛媛県四国中央市における水引産業の存続形態」『愛媛大学社会共創学部紀要』二〇一九年）という。

一九九二年から二年おきに調査を行っている博報堂生活総合研究所「生活定点」の、「贈答」の意識・行動にまつわる調査にも明らかで、「贈答について、あなたにあてはまるものを教えてください」という質問に「お歳暮は毎年欠かさず贈っている」と答えた人の割合は、データを取り始めた一九九四年に六一・八％だったが、二〇二〇年は過去最低の二五・四％（当初より三六・四ポイント下落）、中でも二〇代は三・九％と息絶える寸前だ。なるほど、大学生だった私が溢れるほどの中元・歳暮商品に熨斗紙をかけていた時期は、それでもまだ六割近い人がお歳暮のやりとりをしていたわけだ。もちろんギフトそのものが廃れたわけではないし、「自分にご褒美」など、新しい需要も開拓されている。それでも四半世紀をかけて、旧来の贈答文化はゆるやかにかたちを変え、消失へと向かっている。

そんなご時世だからこそ、というべきか、「いや、むしろ増えていますよ」と首を振るのが、四代にわたって水引折型を扱う、石川県金沢市の津田水引折型の津田宏・さゆみ夫妻である。水引と聞いてまず思い浮かべる紅白だけでなく、濃緑、薄緑、薄紅、浅葱、黄、藤と、目にも鮮やかなとりどりの色の組み合わせは、繧繝《うんげん》のようなグラデーションから、襲色目を思わせるコントラストをつけた組み合わせまで千差万別だ。結びの意匠がシンプルな結切+平滑な奉書紙なら簡素でカジュアルに、曲線が重なるあわじ結び+シボのある手漉き檀紙《だんし》なら重厚でフォーマルにと、雰囲気もガラリと変わる。

さらに手の込んだ結納飾りとなれば、柳樽、末広(扇子)、指輪、肴、目録などの結納品に、ふっくらと寄せたひだが扇のように広がる紅白の檀紙、その上に金銀、多色の水引による鶴や亀、松竹梅など吉祥の立体的な意匠をあしらった、それは華やかなしつらいが施される。またその技術を応用してつくった、一点ものの飾り物やオブジェなども手がけている。

一方、従来の水引とは異なるブランドも二〇一八年に立ち上げた。こちらは将来五代目を継ぐ長男の六佑さんが担当するもので、イヤリングやタイピン、バレッタ、ヘアゴム、キーリングなどに水引をあしらった、現代的なラインとなる。英語の「結び目」と、贈答儀礼における水引とは「違う」という意図をかけて、ブランド名を「knot(ノット)」と名づけた。

既製品の材料を使うところもあるが、特別色の水引は自家製造で、紙縒に染料を塗り、蠟を引いて仕上げる。一方、白の内側に濃紅から朱、緑、青など、泥絵の具を塗り重ねた深みのある色が印象的にこぼれる檀紙は、唯一扱いのある京都の問屋から取り寄せたもの。慣習に配慮しつついっそう洗練された祝儀袋から、クラシックな結納かざりまで、何かとフラットな時代に、節目でエッジを立てたい向きから引っぱりだこで、売り上げも増えているという。

この特徴的な水引細工をつくり出したのは、泉鏡花の幼馴染みとして金沢の商家に生まれ育った、津田左右吉《そうきち》(同姓同名の歴史学者とは縁もゆかりもない)だ。そもそも、水引をかける和紙の方にも、その折り方と包み方に作法がある。

正月の床かざりや婚礼の提子《ひさげ》かざりなど、和紙を儀式のかざりとして折り上げる方法と、物品を和紙で折り包んで贈進する包みの方式とを合わせて、「折形」といった。室町時代に幕府の礼法を司った伊勢家が上級武家に指導したもので、江戸時代中期には『女大学』などの啓蒙書にも、これをアレンジした折形図が多数掲載されて一般に普及。明治から昭和前期頃までは、女学校などの作法の教科にも取り入れられていた。

この「折形」は、まさに「折り目正しく」丁寧に、平面的に折り畳む。付随する水引細工も、平面的な結びの意匠に終始していた。これを左右吉は、和紙をきっちり折り畳むのではなく、むしろ折り目はつけずにふくらみをもたせつつ、胴のあたりに水引をかけて引き結び、その立体感を活かす水引細工の鶴亀や人形などをあしらった、「津田流水引折型」を考案。一九一七年に創業し、当時は店売りではなく、各地を回って卸しに売り歩いた。そうして銀座「和光」の店頭にかざられた左右吉の水引人形に目を留めたのが、民藝運動の創始者・柳宗悦だ。このとき柳が命名した「加賀水引」を冠し、今日まで家業として受け継いできた。

それぞれの代ごとに新しい工夫を加えてきたが、当代のさゆみさんは、祖母が小遣いをくれるとき、余り物の水引をまとめてかけてくれた――今でいう「マルチカラー」である――手慰みのような細工に感じた美しさを忘れることができなかったという。そこから発想してつくった新商品が、多色の水引をかけた祝儀袋だった。「母には怒られましたが、自分の家にある水引を本当に美しいと思っていましたし、自分だったらどんなものがほしいかと考えて」

もうひとつ印象的だったのは、贈答の際に水引を使うことの意義について「素材が紙であるがゆえに修正ややりなおしが利かず、結果として誰の手にも触れられていない清らかな状態であると示す」という説明だ。

前段で紹介したとおり、水引の起源が紅白の麻紐だとするなら、結髪をテーマにした第一一章で取り上げた、注連縄や御幣、挿頭《かざし》などに近いように思われる。むしろ重要なのは紙縒が持つ「張り」の方だ。それは冒頭で述べた、倫理的に正しいはずの簡易包装が「冴えない」と感じられたこと、何かが水引の本質を損なっていると感じられたこととつながっている。

水引や熨斗袋は、贈答の「本体」である品物を包み、かざるためのもので、基本的にそれ単体、贈答品抜きには成立しない――はずだ。だがアメリカなどではクリスマスが明けると、ジュエラーや高級ブティックなどを中心に、不本意なプレゼントの交換に応じているように、実のところ本体は、他の物品や金銭と交換可能であることが多い。

一方、水引や和紙は容易に折れたり皺がよったりする素材なので、贈答品本体を守る、カヴァーするという意味では無力に等しく、使い回しもできない。より厚地で布製の風呂敷や袱紗の方が、外装材としてよほど有効だろう。だがその特質は、水引にとってのマイナスポイントではない。むしろ使い回しではなく、一度きりの機会を捉え、その人のためだけに、まさに今、この時に用意されたものであることを明示する、まっさらに張りつめた和紙と水引。心遣いと手間暇をかけなければ成立しないその「状態」こそが、水引というかざりの本質だ。そこに僅かでも皺が生じ、経時や

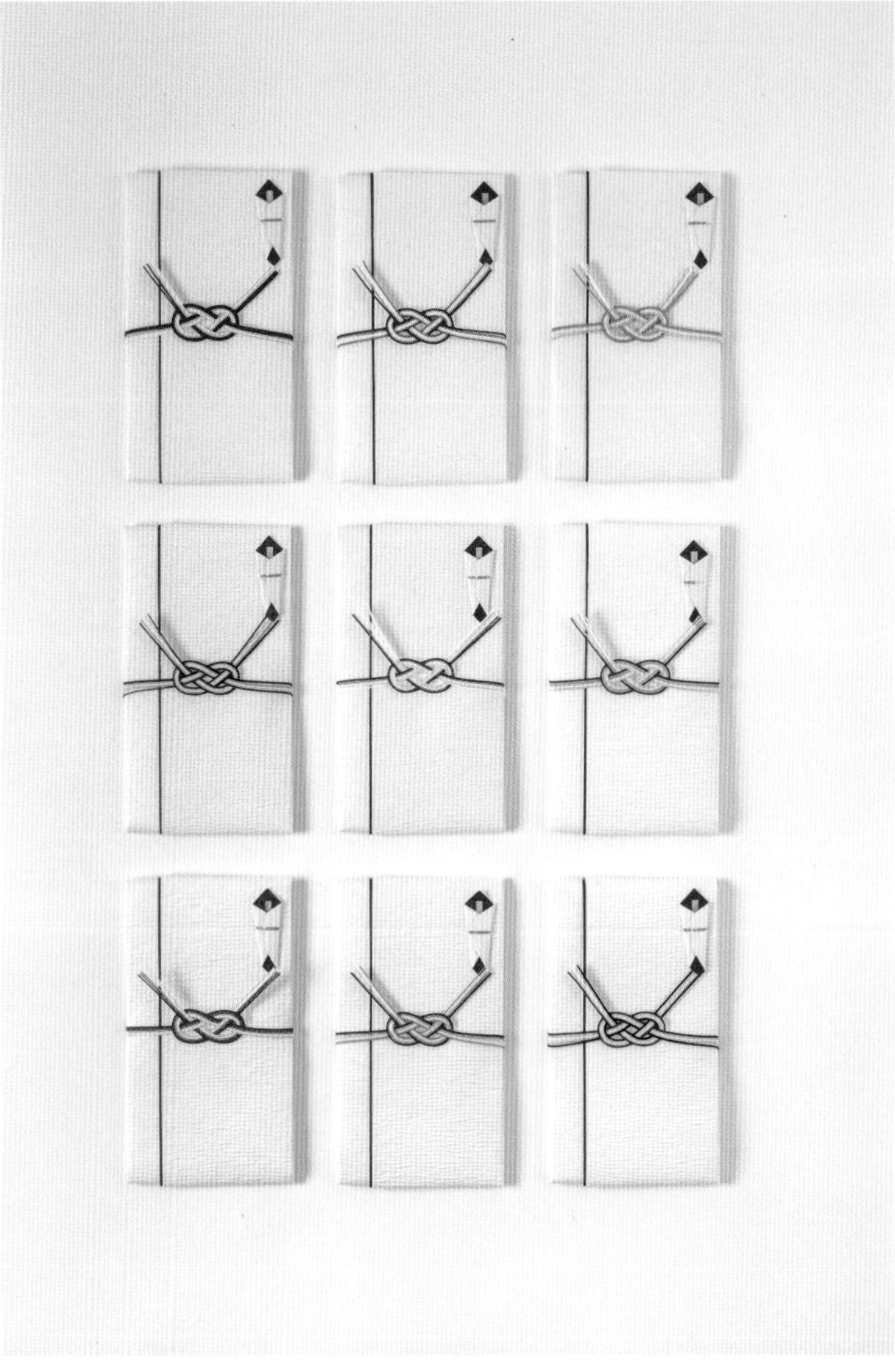

同店による現代的な金封

使用の痕跡が感じられると、かざりとしての機能が失われたように感じられるのだ。これは清浄を失い、穢れを得たという感覚ともやや異なる。

無垢の水引や和紙から感知される「張り」は、コップになみなみと注いだ水の表面をわずかに盛り上げる張力や、弾けんばかりに果肉を充実させた葡萄の粒、いましも開こうとする蕾、日ごとに育つ赤子の肌と同じ、内から湧き上がり、押し上げ、噴きこぼれようとする力の内在を想像させる。要するにそれは生命力だ。始まりがどうであったかは、わからない。だが和紙を原料とし、紙縒に備わった「張り」、そして無垢の白さによって、いつからか水引は、贈り主の「祝意」が宿す根源的な力を可視化するかざりとなった。そこに人の手が触れれば結び目は瞬く間にほどけ、ひとときこの世界に留められた力は解放されて、巨大な循環の中へと還っていく。用が済んだあと、その「抜け殻」を残しておく必要はない。いささかもったいなくはあるのだけれど。

ガラス

光を封じたグラス

蟬の羽は、「薄いこと」の代名詞だ。一〇世紀初めに編纂された『古今和歌集』では紀友則が「蟬のはの夜の衣はうすけれど移り香濃くもにほひぬるかな」と、一一世紀後期の『後拾遺和歌集』では能因が「一重なる蟬の羽衣夏はなほ薄しといへどあつくぞありける」、そして一四世紀後期の『新後拾遺和歌集』では藤原定家が「蟬の羽の衣に秋をまつら潟ひれふる山の暮ぞ涼しき」と詠っており、いずれも夏物の薄い衣を蟬の羽に喩えた、「蟬の羽衣」という美しい比喩が印象に残る。

炎暑の京の夏着には、薄ものが必須だった。『源氏物語』「常夏」の帖に、内大臣(頭中将《とうのちゅうじょう》)が娘の雲居雁《くもいのかり》を訪ねる場面がある。「羅《うすもの》の単衣を着たまひて臥したまへるさま、暑かはしくは見えず、いとらうたげにささやかなり。透きたまへる肌つきなど、いとうつくしげなる……」とあるとおり、雲居雁は羅の単衣(と袴)だけをまとって昼寝をしているところだった。歴戦の色好みである内大臣の目から見ても、その姿は暑苦しく見えず、とてもかわいらしく小柄な身体つきで、(羅の下に)透けて見える肌つきもかわいらしい……と、親の欲目を交えながら誉める一方、ひどく不用心な格好で、近くに女房も伺候させずにうたた寝するなどけしからぬこと、と叱責もしている。それはそうだろう。京都帝国大学史学科の第一回生として国史を学び、風俗史の基礎を築いた江馬務《えまつとむ》の考証によると、貴族女性の夏の部屋着である単衣袴は、鳩尾あたりから下の下半身には袴を着けるが、上に羽織った単衣は透ける薄物で、上半身がそのまま見えてしまう、なかなかに艶めかしい姿なのだ。

薄さを優先するのなら、当然強度は犠牲にせざるを得ない。衣服の本来の役割である身体の保護という機能を顧みることなく、他の手段で身体の絶対的な安全を確保する者が、視覚的、体感的な涼感と洗練のみを追求した「蟬の羽衣」は、儚く贅沢な貴人の装いなのだ。たとえば中国・湖南省博物館が所蔵する前漢時代(紀元前二〇二―後八年)の《曲裾素紗襌衣《きょくきょすしゃたんい》》は、貴族女性の墓から見つかった平織の絹織物だ。重厚な襟、袖、裾の縁の絹を除いた重量は、わずか二〇数グラム。まさに羽衣の名にふさわしい。

霞のように身体を覆い、透かす蠱惑的な薄ものの贅。一重、二重と間を隔て、その向こうにあるものをあからさまにすることなく、仄めかし匂わせる薄幕。存在を隠し、遠ざけ、不確かにし、神秘化することで、欲望を掻きたてる。これもまたかざりのひとつ、といえるだろうか。

こうした薄さの追求は布以外でも行われてきた。たとえば器における薄さの感覚を、多くの人が実際に体験しているのが、松徳《しょうとく》硝子のタンブラー《うすはり》だろう。

まず目が捉えるのは、端然としたグラスの形状である。これ以上手を加える必要のない、「まさに」「これぞ」なグラス。やがて、その際立った形の印象を支えているのが、器体の薄さにあることにも意識が及ぶ。目で見る限り、指の力だけでも壊してしまいそうな、冷やっとするほどの薄さではないか。そこにビールを注いだ瞬間、グラスの内側で白い泡と金色の液体が渦を巻いて混ざり合う美しい眺めを、間髪容れずグラス表面を覆うヴェールのような曇りが隠す。縁ギリギリに王冠のような泡が浮かび、結露のムラのなさからも、表面が平滑であることが窺える。冷たさ、薄さを予感しながら注意深く指先で掴むと、意外なほど頼りがいのある手応えが返ってくる。少し安堵しながらあらためてホールドし、泡をこぼさないよう、静かに口をつける。――いや、薄い。

冷たい液体と唇の間を隔てるのは、硬く滑らかなガラス一枚。その上を通過し、口の中に入ってしまえばたちまち解けてしまう味や香り、温度、流速、弾ける気泡の刺激が、ガラスを隔てて精密に、減衰なく感じ取れる。その半瞬の「タメ」を経て、想定どおりの感覚が、リアルに口中へと流れ込む。アルミ缶やジョッキ、一般的なグラスから飲むのとはまったく異なるプロセスだ。精密な予測から実体験へと至る一秒にも満たない、しかし複雑な「序曲」を、この儚いグラスが演出している。

予測から体感へ、脳と身体とが高速で予測と答え合わせのマイクロイベントを駆け抜けていく爽快感と、やろうと思えば簡単にかみ砕けることが確信できるグラスの繊細さに対するおののきとがない交ぜになった感覚は、いっそ疼くように官能的だと言ってもいい。

「ジブリのアニメーションに出てきそう」。それが雑誌に記事を書くため、念願叶って当時墨田区錦糸にあった《うすはり》製造元である松徳硝子の工場を訪ねた二〇一四年に、まず感じたことだ。

フロア中央に据えられた小山のようなガス炉が、正しく工場の心臓として炎を燃やし、離れていても顔を背けずにいられないほどの熱を放っている。炉にはそこから溶けた原料を竿に巻き取るための小さな扉がいくつも口を開け、職人たちは火山の火口のような扉に背を向けて、炉のぐるりを囲んで立つ。天井には吸排気のダクトがのたくり、頭の上に吊り下げた武骨なレールを、加工途中の製品がゆっくりと運ばれていく。かと思えば、別の場所では飲み口の研磨を行い、また別の場所ではひとつひとつのグラスを照明にかざし、布で磨き上げた上で、規定の品質に達しているかを検品する。全自動化が進んだ人気《ひとけ》の感じられない工場とは違う、あちらでもこちらでも人間がつかず離れずで機械を操作しながら、目指す品質に追い込んでいく、懐かしい「町工場」の雰囲気が横溢していた。

この松徳硝子の前身は一九二二年に創業した「丸佐バルブ製造所」に遡る。バルブとは電球のガラス管部分のこと。一九世紀後半に、イギリスのジョセフ・スワン、アメリカのトーマス・エジソンらによって、電気を光源とする電球の発明、実用化、製造が進められ、瞬く間に世界へ普及していった。

一方、日本における電灯、なかんずく電球の普及については、菊池慶彦「日本における電球産業の形成」(『経営史学』四二巻一号、二〇〇七年)、同「日露戦後の電球産業の成長」(『経営史学』四七巻二号、二〇一二年)に詳しい。以下、かいつまんでご紹介してみよう。

一八八三年、渋沢栄一・大倉喜八郎らによって設立された日本初の電灯会社・東京電燈が、中央発電所からの長距離高圧送電事業を開始。当時の照明といえば、江戸時代末期から使われるようになった石油ランプが主流で、東京市でのコストが電灯＜石油ランプとなるのは一九一六年頃のこと。それでも料金以外の、利便性、安全性、清潔性などを考慮した結果、まず企業が率先して電灯を採り入れていったらしく、一八八七年に世帯普及率〇・〇〇一％だったものが、一九〇七年には一・二八％へと増加。その利便性を支えていたのが、白熱電球であった。そういえば「丸佐バルブ製造所」が創業した二年後、岩手の詩人が書いた詩集『春と修羅』の序は、こんな書き出しで始まるのだった。

わたくしといふ現象は
仮定された有機交流電燈の
ひとつの青い照明です
（あらゆる透明な幽霊の複合体）
風景やみんなといつしよに
せはしくせはしく明滅しながら
いかにもたしかにともりつづける
因果交流電燈の
ひとつの青い照明です
（ひかりはたもち、その電燈は失はれ）

宮澤賢治『心象スケッチ　春と修羅』一九二四年

電球については、電灯会社がメーカーや輸入業者、販売業者から調達し、売渡（代金や取付費用を使用者から徴収）、損料（毎月定額を徴収）のどちらか、あるいは併用した料金体系で契約していた。最初のうちこそ輸入品が中心だったが、間もなく国産化が試みられるようになる。やはり東京電燈がその中心となり、その中から白熱舎（一八九〇年に設立された日本最初の電球メーカーで東芝の前身のひとつ）をはじめとする電球メーカーが出現していった。電球需要の拡大に伴い一九〇七年頃までに少なくとも三〇社程度の電球メーカーが創業・参入。電球ガラスはガラスメーカーが供給していた。白熱舎が発展、二度の社名変更を重ねた東京電気株式会社（一八九九年）はアメリカのGE（ゼネラル・エレクトリック）と提携して量産能力強化をはかりつつ、一九〇五年には深川工場を新設。ガラス球やガラス管を内製化したが、その時点でもガラス球は手吹きで製造されていた。

第九章で取り上げた薩摩切子のような、カットが施せる厚い生地ではない、薄い吹きガラスは、そもそも日本工芸の歴史の中のどこで登場したのだろう。たとえば喜多川歌麿の《婦女人相十品》の中でもっとも有名な《ぽっぺんを吹く女》は、一七九〇—九一年頃の作で、ガラス製の玩具「ぽっぺん」（ぽっぴん、ビードロなど名称はさまざま）を手にしている。これも薄い吹きガラス製の玩具で、フラスコのような形状に成型する際、底面を他の部分より薄くする。そして細い先端部に口を当てて息を吸い吐きすると、気圧差とガラスの弾力とで、底が膨らんだりへこんだりして、金属的な音（ぽっぺん）を立てる、というものだ。

こうしたガラス器を吹く技術は中国由来とされ、岡本文一は『日本近世・近代のガラス論考』（新

松徳硝子の《うすはり》タンブラー

潮社、二〇二〇年)で、一七世紀後半までには長崎で行われていただろうと推測している。それこそ壊れやすいため、薄い吹きガラスの遺例はほとんど残っていないが、長崎奉行所跡から、ぽっぺんなど一八世紀前半につくられたと考えられる吹きガラス製品が、二〇〇五年に出土している。

近世から近代にかけ、最初は書物で、やがて視察や技術者の招聘などによって、海外から学んだ技術が、均一な薄さ・形状で製造しなければならない電球バルブへと結びついていく。一九二二年創業の「丸佐バルブ製造所」も、そういった電球産業の発展と同期して設立された工場だったのだろう。

創業当初は順調だったが、電球の製造工程が機械化され、価格競争になってしまうと太刀打ちできない。四〇年前には東京に一〇〇社近くあったガラスメーカー自体、現在一〇社程度まで減り、吹きガラスを扱うのは松徳硝子を含めて二社しかなく、そもそも逆風の衰退産業だ。売り上げの主力は観光地の土産物のガラス製品にシフトしていたが、これも大口の顧客が離れ、廃業の危機に瀕したこともあった。下請けだけでは立ち行かず、薄吹きの良さを生かした自社ブランドを育てようと、電球製造で蓄積した薄く均一に吹くノウハウを武器に、料亭・割烹向けの和食器もつくり始めた。だが昭和二〇年代入社の最古参にも、電球を吹いた経験者はもはやおらず、型も電球の実物も残っているわけではない。試行錯誤する中で一九八九年に発表したのが、一口ビールグラスの《うすはり》だった。といっても、デザインショップで売ろうというコンセプトではない。ターゲットは料亭や割烹に出入りする男性のつもりだったが、これに火がついた。

ガラスの厚さは一ミリ以下。口径四六ミリ・容量八五ccのSSサイズから口径七七ミリ・容量五一〇ccのLLサイズまで五種類揃うタンブラーを皮切りに、ワイングラスや大吟醸グラスなど、《うすはり》ファミリーは増え続けている。

とはいえ、そもそも量産しようとは考えていなかった商品である。吹けるのは四〇年のキャリアを持つ、親方級の職人だけ。引きも切らずに入ってくる注文に、何とか全社的な製造体制をつくりあげ、若い職人が育つまでが、てんやわんやだった。立役者の一人である齊藤能史さんも、もとは別会社でブランドディレクターを務めていた身の上だ。それが「ファン」だった松徳硝子の危機に際してボランティアで業務を手伝いはじめ、二〇一〇年に正式入社。二〇一九年にはついに代表取締役社長に就任し、名実ともに会社の顔となった。

はるか昔は石炭が燃料だったという炉で燃えるのは、都市ガスだ。この炉を一五〇〇度まで熱し、一晩かけて溶かした珪砂《けいさ》を中心とする原料から、加工が始まる。竿の先にガラスだねを巻き取り、端から息を吹き込みながら、金型の中でガラスをくるくると回して形を整えていく(廻し吹き成型)。型の内部にはコルク粉を炭化させて水分を含ませた層を満遍なく塗布してあり、ガラスの熱で水蒸気が発生することで、ガラスだねが滑らかに回り、また型のつなぎ目の跡なども残らない。

形ができたら、急冷により壊れないようゆっくり冷ます、徐冷を行う。丸一日かける留めざまし、もしくは機械を使う送りざましで十分に冷めたら、いったん目視で検品して基準に達しない製品を弾く。続いてグラスの形状にするため、口縁部にダイヤモンドで線を引き、バーナーでカット。口元を回転やすりでムラなく磨いていく。それが終わると洗浄を経て、口縁部にあらためて火を当て表面を溶かし、滑らかに仕上げたら最終検品を経て出荷となる。

「不揃い」「手造り」の味で売る製品ではない。手吹きではあっても、完成品の見た目は、いい意味でそうは見えない、ソリッドな仕上がりを保っている。できるだけ個体差を減らし、一定の品質ラインで揃え、かつ日常づかいできないような価格に転嫁しない……。最初から最後まで手間がかかって増産が難しい上、利幅まで「薄い」看板商品は、売れてもなかなか収益につながりにくい、と当時、齊藤さんは苦笑していた。

老朽化に伴い、一九二八年以来操業してきた墨田区錦糸を離れ、二〇二〇年に荒川区南千住へ工場を移転。夏は暑く、冬は寒い労働環境を改善し、給与や休日を一般企業並に確保した上で、「ものづくりの喜び」に寄りかからない、きちんと対価を得られる職場をつくろうとしている。

さざれ石が巌となる、とは反対に、たとえば巨岩を根気強く削った末に小さな立方体をつくり出したとしたら、形《なり》に見合わぬ強烈な重力を発するかもしれない。ここまでご紹介してきたガラスや布、磁器、あるいは力を入れれば撓《たわ》むほど薄く挽き上げた木地を用いる漆器などにも、同様の力がある。本来の機能を果たせないのではないか、と危惧するほどの「薄さ」を実現するために尽くされた、高度な技巧や膨大な手間、それと相反するような存在の希薄さ。機能性より遊戯性と非合理性の勝った、使い手を日常から連れ去るものたちは、やはり「かざり」の領域にあるのだろう。

もうひとつ、《うすはり》のイメージを規定しているものがある。電球ガラスとは薄吹きの技術的

同，《うすはり》タンブラー

な出自についての説明だが、白熱電球はほぼ真空状態にしたガラス内に不活性ガスを満たし、タングステンやニッケルなどの細い金属線に電流を流して発光・発熱させる。充塡したガスによって、三〇〇〇度に達するフィラメントの蒸発速度を抑え、電球は一定の寿命を保っている。また空気を排除することでガラス内が低圧となるため、外圧に耐える歪みのない球体であることも求められた。

啓発・啓蒙という言葉は"enlightenment"の日本語訳だが、石油ランプより遥かに明るく、夜を隅々まで照らす電球の明かりは、文明開化の時代を迎えた人々にさぞ眩く映っただろう。LED電球が席倦する現代の私たちには、いささかオールドファッションにも見える白熱電球だが、無色透明なガスと共に封じられた赤熱するフィラメントを宿すガラス球は、あらためて眺めると魔術具めいたオブジェにも見えてくる。

暗い夜道に灯る明かりに慰められ、その光の下で憑かれたように本のページを繰り――といった、個人の中に積もる無数の明かりの記憶が、意識するとせざるとにかかわらず、電球という語の背後に呼び起こされている。私たちはグラスを傾けながら、「せはしくせはしく明滅しながら／いかにもたしかにともりつづける」その光も、共に味わっているのだ。

参考文献
谷一尚『ものが語る歴史2　ガラスの考古学』同成社、一九九九年。
小寺智津子『ものが語る歴史27　ガラスが語る古代東アジア』同成社、二〇一二年。
ニューガラスフォーラム編著『おもしろサイエンス　ガラスの科学』日刊工業新聞社、二〇一三年。

和食

懐石にしぶく徴

学生時代の専攻が文化人類学だったせいか、うっかり先輩方の前で「日本人とは」のような脇の甘い、大きな主語を口に出そうものなら、ただちにツッコミを喰らった。そのトラウマゆえか、「日本は四季があるから◯◯（優れた美意識が育まれた、感性が豊かだ等無数のバリエーションが存在する）」式の牽強付会な言説に接すると、たちまち回れ右をしたくなる。日本以外の地域にも季節を細やかに区別し味わう文化があることは、たとえばヨーロッパのある地域、時代に限ってみても、ヴィヴァルディがバイオリン協奏曲、ハイドンがオラトリオで《四季》の名を冠した楽曲をつくり、アルチンボルドが《四季》と題した連作を描いている事例を見れば明白だろう。

どんな地域・時代であれ、生きるために必須の基本的なスキルとして、人は自然界の変化を観察するはずだ。一日の移ろいから一年のめぐりのうちに何が起こっているか、その因果関係や規則性について目を凝らし、耳をそばだてて観察するだろう。そうして自然から得た知見を、どのような形で人の営みとしての文化に反映していくか、というところに、それぞれの個性が表れる。

そういう意味で、文化としての「自然」神話がどのように創造されてきたのかを読み解く、ハルオ・シラネ『四季の創造――日本文化と自然観の系譜』(角川選書、二〇二〇年)は非常に示唆的だった。著者は、日本の詩歌や小説などの文芸において言語的に、あるいは絵画や衣裳、調度などに視覚的に表現された、優雅で繊細とされる自然が、「ありのままの自然の姿ではなく、支配階級の社会や文化が〝見たい自然〟の姿」(二次的自然)であることに着目する。

和食、とりわけ茶懐石を頂点とする領域にも、その影響は色濃く現れている。二〇一三年に「和食　日本人の伝統的な食文化」がユネスコの無形文化遺産に指定されるという時、いったい「和食」をどのように定義したのだろうと、不思議に思ったものだ。いま「日本」と規定されている、北海道から南西諸島までを見渡したとき、その食文化はあまりに多様で、何らかの一貫性を見出すのは難しい。ユネスコへの申請に際しては、日本の食文化を特徴づけるキーワードとして、有識者会議が「自然の尊重」を抽出。これに基づいて、以下の四点を柱に日本の食文化の特徴がまとめられた。

㈠　多様で新鮮な食材とその持ち味の尊重
㈡　健康的な食生活を支える栄養バランス
㈢　自然の美しさや季節の移ろいの表現
㈣　正月などの年中行事との密接な関わり

いずれも興味深い論点だが、本稿で注目すべきは「㈢自然の美しさや季節の移ろいの表現」だろう。㈢について、農林水産省はその詳細を「食事の場で、自然の美しさや四季の移ろいを表現することも特徴のひとつです。季節の花や葉などで料理を飾りつけたり、季節に合った調度品や器を利用したりして、季節感を楽しみます」と説明する。

二〇二〇年、コロナ禍で開催中止を余儀なくされた国立科学博物館での特別展「和食　日本の自然、人々の知恵」では、そうした多様で複雑な和食の全貌を科学的な背景の解説と共に紹介するはずだった。この図録に、食文化史を専門とする国士舘大学教授の原田信男が、和食の成り立ちの歴史的変遷を詳述している。「茶懐石を頂点とする」という考え方も含め、ここではその解説をお借りしながら簡略にさらっておこう。

一万六〇〇〇年ほど前の縄文時代から温暖化が始まり、現在の日本列島に近い形の豊かな植物相が広がったことで、和食につながる自然環境が整った。弥生時代に水田稲作が普及、大和朝廷が古代律令国家を完成させ、仏教を根本に据えることで肉食は建前上禁忌となり、米と魚を中心とする食が形づくられていく。奈良時代の料理法は単純で、干物や酢締めした生ものを、食べる際に自分で調味料(醤、酒、塩、酢)で味つけして、米や雑穀と共に食べるというもの。平安時代には中国の影響を受け、宮中の儀式などでは「大饗《だいきょう》料理」が出された。これは朱塗りの台盤(テーブル)に、奈良時代以来の干物や生物をたくさん並べて調味料を添えたもので、銀製の食器や匙など、中国のスタイルを真似しつつ、料理の内容は前時代を受け継いでいたらしい。

鎌倉時代に入ると禅宗の請来と共に、精進料理の技術がもたらされたことで、一気に様相が変わる。動物性の食品の摂取を禁じられた僧侶たちは、植物性食品を用いて動物性食品の味へ近づけようと工夫する中で、「食べるときに調味料で味をつける」ではなく、「料理自体に徹底的に味をつける」ことに集中した。これが料理革命と言ってもいいくらい、料理法を発展させることになった。

室町時代には、精進料理以降の料理技術を駆使し、大饗料理を引き継いだ、高位武家の饗宴のための「本膳料理」が成立。台盤ではなく折敷《おしき》を発展させた膳を用い、米飯と汁を中心に、生物、干物、さらに煮たり焼いたり独自の調理を施したものを次々と供する。また昆布や鰹節などの出汁、醤油、味噌といった発酵調味料も出揃い、味覚的にも本膳料理によって「和食」は完成を迎えたと見なされる。

ただし本膳料理は儀式食で、珍奇な食材を用い、豪華に飾り立ててはあっても、何日も前からつくり置いた、冷めた料理ばかりだった。これに対するアンチテーゼとして、本質的なもてなしとは何かという思考の果てに、品数を簡素化し、その代わりに出来たての温かいものを亭主自ら配膳する料理が、茶の湯の中で供されるようになったのが、桃山時代のこと。珍奇な食材であることより、「その季節に合った旬のものを食材に用い、器の形状や彩色との組み合わせを大切にした料理をめざしました。さらに料理を楽しむ空間にも気を配り、その部屋にはどんな書画を架け、どんな花をどんな花器に飾るか、といった空間の〝しつらえ〟も重視しました」(原田信男「戦国時代の食」、図録『和食』)。味わいに優れた旬の食材を用い、見栄えより美味しさを優先し、客へのメッセージ性さえ備えた料理。最終的な完成は江戸時代も後期の一九世紀とされるが、現代では当たり前のよう

椀によそわれた白飯

に思われる料理のあり方が示されたのは、近世のとば口に立った桃山時代、そして茶の湯という芸道において、だったのだ。

料理屋での懐石、そして私が末席でわずかに触れている茶の湯の中の料理は、こうした流れの末にある。利休の時代から四五〇年を経た、現代の懐石の表現として秀逸だと思ったのが、「水」を用いた演出だった。

そもそも一連の茶事の中で、時宜に応じて「水」は極めて印象的に登場する。もっとも一般的な「正午の茶事」(五―一〇月、風炉の時期の場合。一一―四月の炉の時期は順序が一部異なる)を例に、ご紹介してみよう。

その日、招かれた客が茶室へ進む「席入り」の前、身支度を調えるための待合、もしくは寄付《よりつき》と呼ばれる部屋で、まず白湯が供される。別に何ということもない。口を漱ぎ、心を鎮め、茶席へ向かう前の喉湿しの一杯で、やかましい作法があるわけでもない。

その湯――水は、これから点てる茶にも使う水である。長年その家を潤してきた井戸の水かもしれず(三千家は同一の地下水脈の上にある、とも言われる)、あるいはこの日のためにと、亭主がわざわざ遠方まで名水を求めて汲んできたものかもしれない。いずれにせよ、水栓を捻れば清浄な水が好きなだけ使えるより以前の時代のプログラムである。

準備が整ったという半東《はんとう》(亭主のアシスタント)からの案内を受けて露地へ進むと、敷石も苔も、雨の気配もないのにしっとりと露を含んでいる。腰掛に座って待つ耳に、最後の点検を行う亭主の気配が伝わってくる。座掃《ざはき》が畳を擦る音、倶利桶《くりおけ》に満たした水を一気につくばいに落として溢れさせ、新しい水に入れ替える音——。すべてが静けさの中で進むとばかり思っていた客(たとえば私がそうだった)は、この激しい水音にまず驚かされる。そしてまさに今、つくばいに満々と満たされたばかりの水を使って、客は手と口を浄め、席入りする。

席中で亭主と挨拶を交わすと、続いて懐石となる。ここはいったん後に回して、その先を見てみよう。

食事が済めば風炉に炭をつぐ炭点前《すみでまえ》となる。茶を喫する前に、湯を沸かす炭をつぎ、その炭の上に香を置いた席中には薫香が漂う。続いて菓子器が持ち出され、一人分ずつ客の前に主菓子《おもがし》が回される。添えられた黒文字もやはり、しっとりと水を含んでいる。菓子を食べ終わったところで、いったん客は席から退出する。これを中立ちといい、露地に出るとやはりこの時も打ったばかりの水が苔の上で光を放っている。「三露《さんろ》」といい、亭主側は席入り前・中立ち前・退出前の三度にわたって露地に水を打つのだ。

亭主が席中を改め終わると、腰掛に戻って待っていた客の耳に、銅鑼が聞こえてくる。この音を合図に、再び席へ戻ると、中の様子は一変している。床の掛物は花に替わり、花弁も葉も零れんばかりの露に濡れ、花入を懸ける壁まで水が染みている。霧吹きで吹いたような露もあれば、土壁に叩きつけるような飛沫の散った、まるで墨跡のような激しさを感じさせる水の痕跡もある。これもまた一期一会、その時の亭主、客、花の取り合わせの中で選択されるもてなしだ。間もなく障子の外にかけられていた簾が外され、室内が明るくなると、亭主が現れる。炭は赤熱し、滾《たぎ》る湯が釜から濛々と湯気を上げ、無言の茶室に松籟《しょうらい》だけが響いている。いよいよ茶事の眼目、濃茶の点前が始まる……。

この後茶事は薄茶へと続き、退席となる。露地を戻っていくその足下は、最後まで水気を含んでいる。茶事の中のそこここで、印象的な水の気配を感じる場面をかいつまんで取り上げてきたが、懐石でも水は重要な役割を果たしている。

私が初めて本格的な茶事を体験したのは、「夜咄《よばなし》」だった。季節は冬。その夕刻から始まる茶事で、露地には露地行燈が点々と置かれ、客は手燭で足下を照らしながら腰掛へ進む。日中でも薄暗い茶室は闇に沈み、座敷行燈や手燭のほのかな灯りを頼りに、点前や拝見が進んでいく。初心者には不慣れな所作のディテールが曖昧になる暗さをありがたく思いつつ、座掃や戸の開け閉てといった要所要所で上がる音、狭い茶室での身じろぎや視線のやりとりが複雑な情報を伝え、茶事がスムーズに進行していくことに驚いた。

その中の、懐石でのことだ。隅切りの折敷に載せられた向付《むこうづけ》はやきものの器、飯椀汁椀はサイズ違いで同形、黒漆の真塗りの椀。薄闇の室内で、椀だけが光を反射してうっすらと艶光りしている。飯椀の蓋の高台を摘まんで開けると、白く甘い湯気が立ち上がり、空気に溶けていく。塗りの確かさを証すように、滑らかな曲面に沿って無数の細かな雫がびっしりと留まっている。まず飯を一口食べる。蒸らしを終え、水分を身の内に収めてふっくらと粒立つ白飯ではなく、煮えばなの、まだ豊かに水気をまとったままの飯がよそわれている。温かく甘く清らかな水に包まれた、原初的な食べ物だ。それが闇の底、反射光でわずかに存在を主張する椀の中に、やわやわとほころんでいる。

それ自身がたっぷりと水を含んだ大根

後に続く料理のいずれも、目にも舌にも美味しいものばかりだが、一口目の飯のような神聖ささえ感じさせる食べ物とは、一線を画すかもしれない。

夏場であれば、椀の蓋に露が打たれる。涼を感じさせるために、と説明されることが多いが、個人的には「まさにいま仕上がったばかり」「〇〇したて」という、状態のフレッシュさ、その瞬間から誰の手が触れる間もなく急ぎ目の前に運ばれてきた、という清浄さとを示しているように感じられる。椀が温まるにつれて蒸発し、手が触れれば水滴の形を失ってしまう。本当に儚い、一瞬の印象として目の前を過ぎるだけの演出だが、それも水という存在にふさわしいあり方なのかもしれない。

以前、料理研究家の土井善晴氏からお話を伺った時、日本料理の本質のひとつは、「澄ます」ことではないかという示唆をいただいた。おすまし、という料理名すらあるように、アクやえぐみなどの夾雑物を可能な限り取り除いた末に生まれる、澄んだ、淡い味わいを尊ぶ考え方だ。

淡くとも味はある。それがよく言われる、甘味、酸味、塩味、苦味に続く第五の味覚として取り沙汰される「うま味」だろう。出汁の材料となる昆布や鰹節、干し椎茸などに含まれるグルタミン酸やイノシン酸といったうま味成分には、食べ物の風味を強めたり、うま味を長く感じさせたりする効果がある。そしてより直接的には、「その食品に「たんぱく質が含まれる」というシグナルとして脳に認識され」る(川﨑寛也「だしの科学」、図録『和食』)ため、その食品を摂取したい、という動機が生まれる。そう感じさせるのが肉であれば、必然的に大量の油脂が加わるが、うま味をシグナルとして、出汁をベースに野菜、あるいは麺などの炭水化物を摂るのであれば、油脂は少なくて済む、というのが、和食が健康に結びつく理由の一つ。

うま味を重ね、ぶ厚い味わいを楽しむやり方もある一方、淡く幽《かす》かな味わいを鋭敏に察知するところに妙味を感じる向きもある。菓子の世界なら、小豆の粒や皮を残したどっしりと濃厚な粒餡と、念入りに灰汁を取り除きながら炊いた、薄墨のような漉し餡との対比のようなものだ。

先述したとおり、和食が「旨い」にたどり着くまでには長い道のりを要した。その先をどうするかという岐路に立たされた時、旨さや豪奢さを単純に加算・乗算していくのではなく、唯一の正解ではないにせよ、淡い味わいの階調を精密に設計する方向へ向かった結果が、今日の懐石、京料理ではないか。

その味わいを一語で表現するなら、みずみずしい、と言うべきだろう。極めて直截に「みず」を重ねて、「光沢があって若々しい。生気があって美しい。新鮮である」(『日本国語大辞典』小学館)の意を持ち、「瑞瑞」「水水」の字をあてる。「瑞」の一字になると、「若々しく、生き生きとしていること。みずみずしいこと。事物の新しく清らかなこと」に加えて「目新しく、めでたいしるし。瑞祥」(『日本国語大辞典』小学館)となる。瑞穂、瑞垣など、他の語の上に接頭辞のようにつければ、清らか、美しいなどの意味を添える美称に変わる。

美しさとは若々しい生気、新鮮さと同義だと、この国の言葉は定義している。そしてそれをもっともよく体現しているのが、水なのだと。「湯水のように」というくらいで、水資源に恵まれた列島では、湧き水や井戸、河川から容易に利用できる、ありふれたものだった。同時に、神域に立ち入る前に手水で手や口を浄め、正月には井戸から若水を汲み、大釜に沸かした湯に笹を浸して参詣人に振りかけ(湯立《ゆだ》て)、滝や川に身を浸して禊を行うなど、罪穢れを洗い流し、あるいは羊水をくぐって生まれ直すように、人を生命力の漲った状態へと導く力を備えたものとも見なしてきた。

茶の湯の席に打たれる水、そこから取り出された懐石にひたひたと満ち、しぶく水。二次的自然のうちの神道的な側面を象徴する「水」が、懐石のうちにイデアとして息づいている。献立に「水」と載せるわけにはいかないが、高度で繊細な技術・手数をかけながら、食べる側には「いじり回した」ではなく、「素材の味わいをそのまま活かした」ように感じられる料理、食べるその瞬間に「素」や「鮮」を感じさせる料理であることの徴《しるし》が、水、露というかざりではないかと思えるのだ。味そのものでも、デコレーションでもない。もののともこととももつかぬ水の気配のプレゼンテーションに接すると、その暗示の抽象性や深さに、底の見えぬ淵を覗いたような震えを感じる。その徴をかざるに足る料理が達成しているのは――「自然の美しさや季節の移ろいの表現」どころではあるまい。

参考文献

千宗室監修、筒井紘一編『茶道学大系四　懐石と菓子』淡交社、一九九九年。

巽好幸『和食はなぜ美味しい――日本列島の贈りもの』岩波書店、二〇一四年。

筒井紘一『利休の懐石』角川選書、二〇一九年。

三舟隆之・馬場基編『古代の食を再現する――みえてきた食事と生活習慣病』吉川弘文館、二〇二一年。

かざる日本

かざりの働き

実のところ、私が「かざる」ことにポジティブな関心を持てるようになったのは、三〇代も半ば以降のことだ。

「文化の進化とは日常使用するものから装飾を除くということと同義である」「今日において、文化の進化のおかげで装飾されずにきたものに装飾を施すということは、労働力の無駄使いと資材の浪費とを意味する」「だが我々には芸術がある。装飾は必要ない。(中略)芸術は装飾を排除することによって、それまで想像もしなかったような長足の発展をみた。ベートーヴェンの交響曲は、よもや絹やビロード、レースなどで着飾って街中を歩いた男には作曲できなかっただろうと思う。(中略)装飾がないということは、精神的な強さのしるしである」

『装飾と犯罪』(伊藤哲夫訳、中央公論美術出版、二〇〇五年)で断固として装飾の非合理を説いたアドルフ・ロースのように、とまではいかないにしても、装飾に対しては長年、潔癖症にも似た忌避感、罪悪感のようなものを抱いてきた。

そうなるに至った経緯も、うっすらと記憶している。小学校に上がる以前、まだ本当に小さな子供だった頃には、たとえばサンリオのキャラクターがプリントされたビニール製の靴や、透ける化繊の生地を重ねたスカート、飴玉のような樹脂の宝石がはまった指輪、プラスチック製の手鏡などに気を惹かれた。だが、幼児が好ましいと思う装いは、思慮深い保護者から遠ざけられ、代わりに白いヘチマ襟をあしらい、紺色の別珍で仕立てたワンピースを着せられた。ピアノの発表会か何かのために用意された服だったのだろうか。それでも襟はごく控えめなレースでかがってあったと思うが、着る当人はまったく不本意だった。

やがて小学校に上がった一九八〇年代初頭から、少女たちの間で異様に大きなレースの襟が流行りだす。松田聖子や松本伊代といった当時のアイドルの衣裳から始まったとされるが、カーディガンやジャンパースカートの上に広げた襟は、大きく、豪華であるほどおしゃれとされた。流行はたちまち田舎の小学校も席倦し、今で言う「スクールカースト上位」の少女たちは、エリマキトカゲを思わせる巨大襟を誇らしげに翻して、学校の廊下を闊歩していた。

西欧の服飾史における襟は、直接肌や髭と触れる部分を頻繁に取り替えて、清潔を保つためのパーツから始まる。やがて洗濯糊の登場を機に、糊付けによる「造形」が可能になり、襞状に折り畳んだ布を針金で支え、車輪のように首のまわりを覆った襞襟が登場。レースや刺繍、さらに宝石による装飾を競い合ううちに、大型化、加工の精緻化が進み、その行きつく果てとして、かのエリザベス・カラー、エリザベス一世の肖像画で広く知られる華麗な襟が、高貴な人々の首回りを飾るようになったのである。

戦国時代の日本でも、ヨーロッパとの交易を通じてこうした服飾品がもたらされ、南蛮趣味の服装が大いにもてはやされた。朝鮮出兵のために名護屋城(佐賀県唐津市鎮西町)に滞在していた秀吉の下へ、南蛮船の総司令官ガスパル・ピント・ダ・ロシャが表敬に訪れた折の一行の装いは、秀吉以下の人々に強烈な印象を残したらしい。イエズス会の宣教師ルイス・フロイスは一五九三年の通信で、「私たちのことについての日本人の評価はたいしたもので、政庁においては、なんらかのポルトガルの衣類を身につけていない者は人間とは見なされないほどでした。(中略)多くの諸侯は、種々のカパの軍装、肩掛けマント、襞衿衣、半ズボン、縁なし帽などを持っていました」(松田毅一・川崎桃太共訳『完訳フロイス日本史3　織田信長篇Ⅲ』中公文庫、二〇〇〇年)というイエズス会士ジョアン・ロドゥリーゲスからの報告を、誇らしげに引用している。

実物の遺例も見られる。たとえば紀州東照宮に伝来する徳川頼宣《よりのぶ》(家康の一〇男で紀州徳川家の初代)所用の染織品の中には、こうした南蛮服飾の影響を顕著に受けた作例、たとえば鎧下着と組み合わせる、華やかな《白地《しろじ》雲文緞子《うんもんどんす》襞襟《ひだえり》》や《赤地《あかじ》紗綾《さや》縮緬《ちりめん》襞襟《ひだえり》》などが残っている。

素材の質や加工精度に大きな懸隔はあるものの、経過としてはまったく同様の「襟」熱が、二〇世紀も終盤の日本で局所的に発生していたわけだ。だがこの時も、同級生の少女たちのように巨大なレースの襟で身を飾りたい、という私の密かな欲望は叶わなかった。とはいえ、心底から巨大襟を魅力的だと感じていたのか、皆と同じ価値観を外見で示してみせないと身の置きどころがないという、閉鎖的な場に特有の同調圧力の問題だったのかは、微妙なところだ。中学校で『枕草子』や

『源氏物語』などの古典に親しむようになった頃、寝殿や牛車などの簾の下から貴族女性たちが袖や裾を出し、装束の取り合わせの妙、ひいては着用者の美意識や教養をアピールしたという、「出《いだし》衣《ぎぬ》」の記述を見て、まず連想したのは、懐かしの巨大襟のことだった。

いずれにしても既に、装飾への欲望を無邪気に口にはしないだけの分別を身につけていた。流行に躍らされた強欲、虚栄心に基づく自己顕示、ジェンダーバイアスや同調圧力への盲従は恥ずべきものだという、暗黙の規範に気づいていたからだ。

装飾——にもいろいろあるのだが——が時にもたらす官能的なまでの高揚。次の瞬間に襲われる、それにとらわれた自分への羞恥。ディオニュソス的な熱狂や忘我、法悦の感覚を、非理性的なものとして冷笑し、否定する。ジーンズばかりを穿き、男の子と一緒にサッカーに興じる一方、品行方正な優等生として教師たちの後ろ盾を得るという子供時代のあり方は、学校における各種圧力から逃れるための方便として有効であった反面、装飾に禁欲的な規範を過度に内面化することになった。

現代では簡素、シンプルを指向する日用品が多様、かつ広範囲に普及しているため、「取りあえず装飾から逃れる」だけなら、さほど難しくはない。何が「いい」のか、自分の趣味、好みが確立されていない時期には、灰汁抜きとでもいうのか、ただただシンプルに徹していられるのは楽なのだ。そこからどういう趣味——テイストに進むのかは、たとえば水野学『センスは知識からはじまる』(朝日新聞出版、二〇一四年)の書名が極めて端的に示しているとおり、それぞれが積んだ経験、確立した価値観によって異なる。そして「それ以前」の迷走期は往々にして、「黒歴史」と呼ばれ

妙喜庵待庵(道具取り合わせ，89 ページ参照)

ることになる。

私自身は仕事のなりゆき上、茶の湯に親しみ、千利休の周りをうろつくようになって——ひとまず「豊かな簡素」と「貧しい簡素」とでも呼んでおくが——「簡素」にもいろいろあることに、朧気ながら気づいた。ここで「豊かな簡素」と呼んでいるものは、一見して「簡素」に見せるために周到に計画し、手数をかけ、隅々まで差配する側の意識を行きわたらせた存在だ。わび茶の流行期、都市の喧噪のただ中にあって、周囲を木々で覆い、あたかも山中の隠遁者の庵のごとき草庵茶室を営み、世俗から離れて客をもてなすフィクショナルな場を「市中の山居」と呼んだ。むろん主も客も、遁世者どころか権力や富のそばで近くでその腐臭を嗅いで生きる者たちであり、欺瞞を十分に承知の上で入れ込む、真剣極まりない「ごっこ遊び」の舞台というわけだ。

本来そうではない者が、「みすぼらしいようにする。目立たないように姿などを変える」(『日本国語大辞典』小学館)ことを、「やつす」と言う。折口信夫はその始まりを、「青草を結束ひて笠蓑として、宿を衆神に乞ふ」(『日本書紀』)スサノオノミコトの姿に見、「笠を頂き簑を纏ふ事が、人格を離れて神格に入る手段であつたと見るべき痕跡がある」と記す(『國文學の發生・第三稿』一九二九年)。その延長線上に、貴種流離譚の系譜に連なる「高位の若殿や金持ちの若旦那などが流浪して卑しい身分に落ちぶれた姿を見せる演技、またはその演技を中心にした場面」(『日本大百科全書』小学館)という、歌舞伎の「やつし事」が成立する。

天下統一を成し遂げた秀吉の居城、大坂城天守閣北側には、秀吉の私的居住区画として山里曲輪《やまざとくるわ》が設けられたが、松林の中に佇む草庵茶室は、国宝《待庵》同様の二畳敷だったという。天守部分には持ち運び可能な《黄金の茶室》（第八章「黄金の仮想現実」）が据えられたというが、それにしても天下人の本拠に二畳敷とは、やつしの極致もいいところだ。欺瞞などとは百も承知の絵空事。虚構が前提の場であればこそ、太閤と茶頭が対等に対峙することも、現実には決して存在してはならない本音が語られることも、可能だったのだろう。千利休という一代の天才が、桃山時代という時を得てこそ実現したわび茶とは、虚構と現実が入れ子になって、ダイヤモンドのように結晶し、次の瞬間には脆く砕けて消える場を創出することではなかったか。同じ欺瞞でも、現代文明の恩恵に浴し、大都市のインフラに依拠していることを都合よく棚上げした、「便利な家電製品をすべて手放したシンプルな暮らし」とは、性根の据え方が違う。

極限の豪奢を可能態として蔵した場に位負けしない「簡素」は、難物だ。そぎ落とすだけの「貧しい簡素」は、さほど訓練も知識もなく、誰でも簡単に実現できる。だが「豊かな簡素」は、たとえば実体が「ない」ところに、その空白を埋めるためのイメージを、観る者それぞれに異なる形で引き出してくる、という高度な操作を行う必要がある。そういう意味で、「利休道具」と総称される茶道具類は、「豊かな簡素」の希有な成功例と呼ぶべきものだろう。

「利休道具」とは、「利休によって選択／デザイン／制作された道具を意味」する。「そのすべてを実際に利休がデザインしたものかどうかは、検討の余地があります。中には別の人間がデザインしたものも含まれているかもしれません。そうであったとしても、それらが利休アルゴリズムとでも呼ぶべき一貫したデザイン原理に従って設計されている限り、〝利休形〟として通用していくのです」（千宗屋『茶――利休と今をつなぐ』新潮新書、二〇一〇年）。

利休以前の茶の湯が、どちらかというと現代的な、「飲料としてのお茶に焦点を当てた、お茶を「飲む」集まりだったのに対して、利休はお茶を媒介として「コミュニケートする」会へと、茶の湯を変質させ」た(同書)、とその子孫で、私の茶の湯の師匠でもある武者小路千家一五代家元後嗣、千宗屋は語る。

「簡素」についての考えも、結局のところ千氏から学んだ知見でしかないわけだが、とりわけ二〇一〇年に氏へのインタビューを重ね、ライターとして構成を担当した同書に負うところは大きい。「自らが構想するお茶のために、新しく道具を創造したのです。(中略)利休道具は、友人知己が漫然と集まって茶を飲むのではない、強いテーマ性のある茶会を演出するために作られたものでした。つまり利休は、「道具のためのお茶」から、「お茶のための道具」へという、コペルニクス的転回を成し遂げたのです」(同書)。

この簡素——《待庵》や楽茶碗の、ブラックホールのように凝集し、強烈な重力でもって人から止めどなくイメージを引きずり出す「シンプル」が、黄金と極彩色の絢爛に匹敵する強度で、桃山の一方の極を形づくった。逆説的だが、これほどの強度の簡素と真向かう「かざり」とは何か、という関心から、それまで忌避、ないし無視してきた装飾に興味が湧いてきた。それは決して、無為なものではあるはずがないから。

日本美術史の分野では、造形物としての「かざり」について、近年は美術史家の辻惟雄が中心となって検討が進められてきた。辻の企画によって、一九八八年に「日本の美「かざりの世界」」展

無印良品ポスター「茶室と無印良品」(2004 年)

（三越本店）が開催。また同年より辻は「かざり研究会」を組織し、自ら編者となって『「かざり」の日本文化』（角川書店、一九九八年）を刊行。そしてこれまでの論考を集成した「辻惟雄集」の第一巻として、「かざり」「あそび」「アニミズム」に関わる論考を集めた『「かざり」の美術』（岩波書店、二〇一三年）を上梓している。あえてバランスやシンメトリーを崩すことでアクセントをつくる、一回限りの意匠の奇抜さの演出に賭け、しかもそれを繰り返して形式化することは許さず、永遠に変化し続ける新鮮さ、初々しさを尊ぶ。そこに中国美術と異なる、日本美術のオリジナリティがあるのではないか。一連の著作を通して辻は、このように主張する。

『「かざり」の日本文化』でも、文体をテーマとする本田和子《ますこ》の論考「ことの葉をかざる――吉屋信子の文体」を収録するなど、視覚芸術以外への目配りを見せているように、かざりの働きは物質だけに限定されるものではない。「過剰な修飾語で覆われた言葉の連なりもまた、「ひらひら」的ではないだろうか。なぜなら、それらは聴覚イメージに転化されるとき、「ひらひら」と揺れる言葉として耳に訪れるからである。（中略）「ふる（震る、振る）」とは、「ものが生命力を発揮して動く」意であるという。振られ、揺り動かされることで、活力は湧き立ち、四辺に溢れるだろう。（中略）古い時代に神に仕える女たちは、「ひれ」を振りつつ舞うことで神を招いたとされるのもこのせいであろうし、衣服の揺れが時として一種の媚態と見なされ、若い娘たちの振り袖が、あるいは女学生の髪のリボンが、優れて挑発的に機能したのも同様の理由であろう」（「ことの葉をかざる――吉屋信子の文体」）

「かざり」を感知し、コントロールできるのは、視覚に関わる領域だけではない。嗅覚、聴覚、触覚、味覚という感覚に触れるものすべて、あるいはそのバリエーションとして、温度なども含まれるかもしれない。時間の過ぎ方、空間の感じさせ方でも、できることがあるだろう。いったい「かざり」とは何のためのもので、どんな機能を持つのか。

とうてい考え尽くせるものではないが、今の時点での仮の結論は、「この世ならざる聖性を招き寄せること」というものだ。キッチュな形をとることも、荘厳な姿で顕れることもあるだろう。いずれにしても、日常を律する道理や合理性と相反するベクトルを帯びることに変わりはない。一九九〇年までフィギュアスケートの種目だった「コンパルソリー」は、課題の図形を滑走によって描き、その滑走姿勢と滑り跡の図形の正確さを競った。同じように、日常の道理をいくらトレースしても、そこに聖なるものが顕現するための「裂け目」は生じない。一時的、仮設的で、過剰であるものの存在こそが、この世界の枠組みに束の間の亀裂を生じさせ、聖なるものが不気味な貌を覗かせる。人間は造形史の始まりから、その相貌に魅了され続けてきた。

あるいは、「簡素」が最後まで人為に留まろうとするもの、その極限をみようとするものであるなら、「かざり」は人為を梃子《てこ》に、聖なるものを迎え入れようとする働きだともいえるかもしれない。どちらが欠けても成立しない、対であるべき人の営みだ。この両輪の働きから生み出されてきたものが、列島の美術史に営々と積み重なり、ぶ厚い層を成している。一年半の連載で触れることができたのは、そのうちのごくわずかで、露頭する地層に小さなスコップを突き立てた程度にすぎない。だがその中に光る粒が、掘る手を止めさせない。いったいどれほどのものが埋まっているかはわからないが、まだしばらくはスコップをふるい続けることにしよう。

参考文献

郡司正勝『風流《ふりゅう》の図像誌《イコノグラフィー》』三省堂、一九八七年。

辻惟雄『岩波　日本美術の流れ7　日本美術の見方』岩波書店、一九九二年。

玉蟲敏子編『講座日本美術史5　〈かざり〉と〈つくり〉の領分』東京大学出版会、二〇〇五年。

「KAZARI　日本美の情熱」サントリー美術館、二〇〇八年。

あとがき

一人暮らしを始めた、大学生の頃の食器棚には、実家から持ち出してきた器のほかは、白い器ばかりが置かれていたような気がする。料理を引き立てるから、という都合のいい理由に納得していたが、実際は経験不足ゆえに、それ以外の色柄を積極的に選ぶ基準が自分の中になかったのだ。料理と器で、一＋一が五にも一〇にもなるマジックを使うどころではなく、一＋一が二より減る、野暮な器を避ける程度の選球眼がせいぜいだった。

やがて白地に青色を加えた染付や、土と炎の力強さを活かした焼き締めなどが加わり、大胆な色や上絵付けのものも手に取るようになって、いつの間にか東西の骨董まで交ざりこむ混沌とした器の群が、棚を占拠するに至った。その中には、いわゆる鑑賞陶器ではなく、確かに食器という用を満たすつもりで入手したはずなのに、料理を盛らず、ただ眺めて——というか棚の一角に置かれているだけで満足してしまう器もある。たとえば繊細なエッチングの花唐草がボウルを取り巻き極楽鳥が舞う、一〇〇年以上前のリキュールグラスなら、そこに現実の酒を注いで飲むより、かつて修道院の奥深くに製法が秘されたという霊薬《エリクサー》の滴りを想像する方が、現実から遠く離れて酩酊できる。地に足のついた日常を彩るもの、というところに留まらない、そのような幻想や酩酊を求める気分が、いつの間にか私を「かざり」の方角へ導いていったらしい。

本書で取り上げた、「この世ならざる聖性を招き寄せるもの」をつくり出す方々は、その巫《かんなぎ》のような存在だ。何年も（時には一〇年以上）前の取材で知遇を得た方が少なからずおられ、細々とした縁を忘れず、仕事の手を止めての取材に応じていただけたことは、感謝に堪えない。そして雑誌記事を中心に仕事をするライターとして、その時々の媒体や依頼に応じて見聞きしてきた工芸の技術や歴史を、自らの関心に従ってあらためて綴り直し、こうして一冊の本として編むことができたのは、望外の喜びだ。第一章に登場いただいた「有職組紐　道明」の道明葵一郎さんとはその後、ロサンゼルス、サンパウロ、ロンドンと海外三カ所を回る巡回展「KUMIHIMO The Art of Japanese Silk Braiding by DOMYO」（外務省／JAPAN HOUSE）の企画をご一緒することになり、今まさにその準備も佳境に差しかかっている。また第一六章「サイバー螺鈿」の作家である池田晃将さんによる個展「池田晃将の螺鈿」（二〇二一年七月、一穂堂サロン）には、文章を寄せさせていただくなど、抗いがたく蠱惑的なその魅力を伝える機会にも恵まれた。

研究者でもジャーナリストでもない、鵺《ぬえ》のような物書きに機会を与え、連載時からつかず離れず伴走して下さった岩波書店の編集者、杉田守康さんと岩元浩さんには、心から感謝申し上げます。また装幀を通じて本書に「聖なる裂け目」をつくって下さったデザイナーのコバヤシタケシさん、端正な写真を撮り下ろして下さった上野則宏さん、そして一々お名前を挙げることは叶いませんが、本書に関わって下さったすべての方に御礼を申し上げます。

二〇二一年一〇月

橋本麻里

図版出典一覧

上野則宏撮影　7, 11, 31, 35, 43, 67, 71, 77, 81, 107, 139, 197, 203, 211, 215

岩波書店『図書』(2019年12月号)　19
国立国会図書館デジタルコレクション　23
伊勢半本店　47
山田松香木店　55, 59
マガジンハウス『BRUTUS』(2018年2月1日862号 特集「建築を楽しむ教科書　伝統建築編」, 撮影 永禮賢)　93
小学館『日本美術全集10　桃山時代　黄金とわび』(2013年6月刊, 撮影 小野祐次)　89, 233
サントリー美術館　101
仁田坂英二　119
京都国立博物館　115
Colbase(https://colbase.nich.go.jp/)　127, 163, 167
朝日新聞社出版本部『AERA』(2003年9月15日号, 櫛・簪 ポーラ文化研究所蔵, 創作日本髪監修 村田孝子, 結髪 林照乃, 撮影 小野庄一)　131
KAI金沢(撮影 吉川慎二郎)　143
公益財団法人 小田原文化財団　151, 155
春日大社　171, 175
銀座一穂堂　183, 189
淡交社『なごみ』(2018年2月号 特集「懐石料理をおうちで。」, 料理 土井善晴, 撮影 鈴木心)　221, 225
「茶室と無印良品」ポスター(アートディレクター 原研哉, 写真 上田義彦, 撮影地 武者小路千家 官休庵)　237

＊本書は小社刊『図書』誌上で2019年11月号から2021年4月号まで連載した「かざる日本」に, 新たに第18, 19章を書き下ろし, 加筆・再構成したものです.

な　行

は　行

ま　行

や行・ら行・わ行

さ 行

た 行

索 引

橋本麻里

日本美術を主な領域とするライター，エディター．公益財団法人永青文庫副館長．金沢工業大学客員教授．
神奈川県生まれ．国際基督教大学卒業．新聞・雑誌等への寄稿のほか，NHK の美術番組などを中心に，日本美術の楽しく，わかりやすい解説に定評がある．展覧会企画に「末法／Apocalypse 失われた夢石庵コレクションを求めて」(細見美術館，2017 年)や「北斎づくし」(東京ミッドタウン・ホール，2021 年)，「KUMIHIMO The Art of Japanese Silk Braiding by DOMYO」(JAPAN HOUSE，2021 年〜)など．著書に『橋本麻里の美術でたどる日本の歴史』全 3 巻(汐文社)，『京都で日本美術をみる【京都国立博物館】』(集英社クリエイティブ)，『変り兜　戦国のCOOL DESIGN』(新潮社)など多数．

かざる日本

2021 年 12 月 8 日　第 1 刷発行
2022 年 4 月 26 日　第 2 刷発行

著　者　橋本麻里《はしもとまり》

発行者　坂本政謙

発行所　株式会社 岩波書店
〒101-8002 東京都千代田区一ツ橋 2-5-5
電話案内 03-5210-4000
https://www.iwanami.co.jp/

印刷・精興社　製本・牧製本

© Mari Hashimoto 2021
ISBN 978-4-00-061510-5　　Printed in Japan

図説精読 日本美の再発見
—タウトの見た日本—
ブルーノ・タウト
篠田英雄訳
沢良子編
A5判変型二六八頁
定価四七三〇円

江之浦奇譚
杉本博司
A5判変型二九四頁
定価三一九〇円

失われた色を求めて
吉岡幸雄
四六判二八二頁
定価三六三〇円

事典 和菓子の世界 増補改訂版
中山圭子
四六判三五〇頁
定価三〇八〇円

日本の色を染める
吉岡幸雄
岩波新書
定価九〇二円

——岩波書店刊——
定価は消費税 10% 込です
2022 年 4 月現在